業務効率を一気に上げる
ビジネス文書の必須スキル

PDF

最強
実務ワザ
大全

グエル 鈴木眞里子 著

日経PC21 編

日経BP

はじめに

　書類はパソコンで作成するのが常識となり、電子メールも普及したことから、ビジネス文書を"オンライン"でやり取りする機会が増えました。もちろん、作成した資料を印刷して会議で配ったり、紙の申請書に手書きして提出したりすることは今日でもあります。それでも、会議資料の元ファイルを事前にメールで送り準備を促すのはよくあること。申請書などを電子化し、手書きの負担を減らしつつ、押印のために紙を回覧する手間を省こうという企業も確実に増えています。

　コロナ禍を経て、在宅勤務やテレワークが一気に普及したことも、紙の文書が減る大きなきっかけとなりました。書類にハンコを押すためだけに出社をするという非効率。上司が在宅のため、なかなか書類を渡せないことによる時間のロス。そんな課題があらわとなり、DX（デジタルトランスフォーメーション）の観点からも、デジタル文書をオンラインでやり取りすることの必要性、メリットが明白になっています。ビデオ会議やチャットといった新たなコミュニケーションツールを日常的に使うようになり、紙の文書を見る機会が激減したという人も少なくないでしょう。

　そんな状況において、利用頻度が増しているのが「PDF（Portable Document Format）」です。アドビが開発したデジタル文書のフォーマットで、OSやアプリなどの環境が異なっても同じ見た目を再現できるファイル形式として、広く普及しています。普段からPDFを閲覧・作成している人は多いと思いますが、昨今はその機会がますます増えているに違いありません。

　PDFの大きな利点は、上記の通り「同じ見た目を再現できる」ところです。Wordや一太郎などのワープロ文書の場合、相手がそのアプリを持っていなければ、ファイルを開くことすらままなりません。アプリを持っていたとしても、バージョンが異なったり、フォント（書体）のデータがなかったりすると、正しく表示できないトラブルが発生します。また、通常のワープロ文書はアプリでそのまま編集できるので、ファイルを受け取った相手が誤操作で内容を消してしまったり、意図的に改ざんしたりする恐れもあります。

これに対し、PDFは文書の再現性を担保するのみならず、簡単には編集や改ざんができません。そのため、完成形の"正式な文書"として取引先に渡したり、Webサイトなどで公開したりする用途にも使えます。電子メールやWebサイトなど、オンラインでの文書のやり取りが増えている今、うってつけの文書形式といえるでしょう。

裏を返せば、PDFを用いる場面は、特定の相手を意識した、ある程度オフィシャルな文書の作成時であるといえます。その意味で、読みやすさや信頼性、セキュリティなどについて、通常以上に配慮しなければなりません。PDFには、そのための機能も充実しているので、使いこなすスキルを身に付けておく必要があります。

図1 PDFで配布された申請書のひな型に、パソコン上で直接文字を入力して提出することも可能

図2 PDFの結合・分割をはじめ、サイズの圧縮やWord/Excelファイルへの変換、文字認識など、さまざまな機能を利用できるアプリやサービスが無料で提供されている（図は「PDF24」の例）

「PDFは編集できない」というのは誤解

　前述の通り、PDFには簡単に編集や改ざんができないという特徴がありますが、「PDFは編集できない」というのは誤解です。編集禁止の設定をしていなければ、PDFに赤字でメモを書き加えたり、申請書などのひな型に文字を入力して完成させたりできます（**図1**）。さらに、Acrobat Proなどの有料アプリを使えば、Word文書などと同じように中身を編集することができますし、一部の文字修正やページの入れ替え、挿入、抽出といった編集なら、無料のアプリやWebサービスでも可能です（**図2**）。手持ちのPDFを一部書き換えて再利用したり、PDFをWord文書やExcelの表に変換して新たなテキスト／データとして取り込んだりと、PDFの活用範囲は多岐にわたります。

　PDFは作成して終わりというものではありません。閲覧するためだけのものでもありません。PDFが備える各種機能や便利な使い方をマスターすれば、仕事の無駄をなくし、業務効率をグンと上げることが可能です。

　「PDFで配布された申請書のひな型に、パソコン上で直接入力して提出したい」「PDFで保存された契約書を流用して別の契約書を作りたい」「PDFでもらった統計資料をExcelに取り込んで分析したい」……。ビジネスの現場で遭遇するさまざまな課題や悩みを解決するには、PDFの活用ノウハウが不可欠です。その実務的なスキルを獲得するために、本書がお役に立てば幸いです。

日経 PC21 編集長　田村 規雄

● Contents 目次

第3章　見やすいPDFを適切に作成する ················ 55

Contents 目次

第6章　紙の書類もPDF化して再利用 ⋯⋯⋯⋯⋯⋯ 153

第7章　PDFの悩みやトラブルを全面解決 ⋯⋯⋯⋯⋯⋯ 165

Contents 目次

第8章　「デジタル署名」で信頼性を証明 …… 189

第1章

Acrobat Readerは
初期設定で使うな!

PDFの閲覧・編集に使う「Acrobat Reader」
は、ビジネスに欠かせないアプリとなってい
る。PDFやAcrobat Readerの位置付けを再
確認し、手際良くPDFを扱うために必要な設定
を押さえよう。

<table>
<tr><td>Section
01</td><td>文書の受け渡しは
WordよりPDFが主流</td></tr>
</table>

　文書の受け渡しを行うとき、WordやExcelのファイルでそのままやり取りすることもあるが、社外などに提出する文書はPDF化してから渡すのが主流だ。定番のファイル形式となったPDFの操作は、今やビジネスに必須のスキルといえる。

　「Portable Document Format」を略したPDFの登場は1993年。当初はさほど注目されなかったが、インターネットの高速化やリモートワークの急速な広がりによって、

PDF最大の特徴は汎用性

図1　WindowsアプリのほとんどからPDF形式に出力できる。文書だけでなく、プレゼンやメール、画像などを扱う多くのアプリからPDFを作成可能。写真と文書を1つのファイルにまとめるといった用途にも使えそうだ

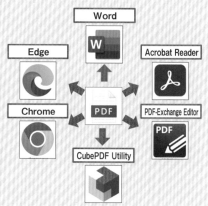

図2　PDF形式のファイルは開けるアプリも多い。Windowsやスマホの標準ブラウザーでも開けるので、誰にでも安心して渡すことができる。設定により、閲覧のみ可能で編集できないようなPDFも作成できるので、改ざんが許されないような正式な文書では特に重宝される

メールなどで文書ファイルをやり取りする機会が増加し、PDFの普及が加速した。

PDFは、多くのアプリから書き出すことができ、閲覧できるアプリも豊富だ（**図1**、**図2**）。Wordファイルを送信した場合は、受け取る側にもWordがなければ開けない（**図3**）。Webブラウザーでも開けるPDFなら、パソコンはもちろん、スマホでもタブレットでも閲覧が可能だ。こうした汎用性の高さから、企業や自治体がWebで配布する資料やカタログ、申請書など多くの文書でPDFが利用されている（**図4**）。

対応するアプリが多いPDFだが、利用できる機能はアプリによって千差万別。快適に閲覧し、わかりやすいコメントを付け、受け取る人が困らないPDFを作成するために、適切なアプリの選び方や操作方法を説明していこう。

PDFなら、ほとんどのパソコンやスマホで開ける

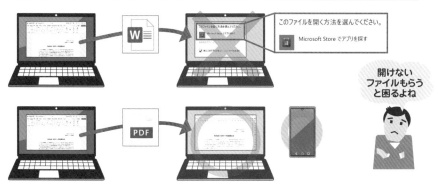

図3 文書をWordファイルのまま送ると、Wordが入っていないパソコンでは基本的に開けない（上）。互換アプリもあるが、再現性に不安が残る。PDF化して送れば、パソコンだけでなくスマホなどでも読める（下）

公的な文書はPDFでの配布が常識に

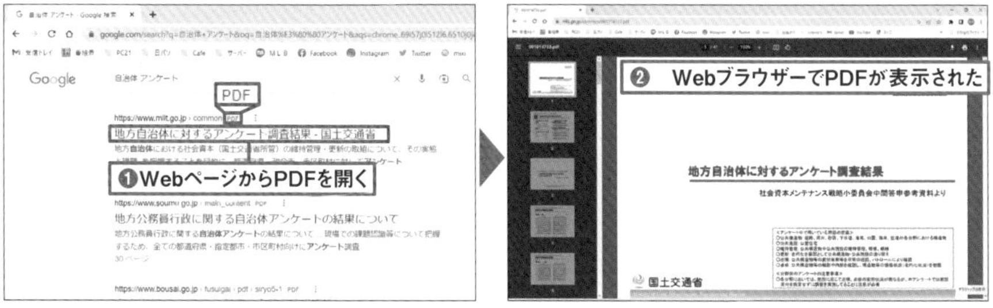

図4 自治体や企業などが配布する文書は、PDF形式が主流だ。WebブラウザーでもPDFならそのまま開くことができる（❶❷）

Section 02 PDF操作の効率アップは アプリ選びがポイント

　Webサイト上のPDFはWebブラウザーでそのまま開くのが手っ取り早い。しかしブラウザーは、PDFの専門アプリではないため、PDFを扱う機能は少ない（**図1**）。PDFはコメントの追加や内容の編集、パスワードの設定などさまざまな作業が可能だが、できる操作はアプリによって異なる（**図2**）。内容を確認するだけならブラウザーでもかまわないが、PDFをフルに活用したいなら目的に応じたアプリをそろえたい。

PDFでできることはアプリにより異なる

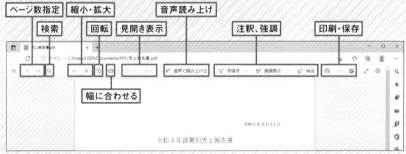

ページ数指定　縮小・拡大　　音声読み上げ

検索　　回転　見開き表示　　　　注釈、強調　　印刷・保存

幅に合わせる

令和5年2月15日

令和４年部署別売上報告書

図1 WebブラウザーのEdgeでPDFを表示した画面。見開き表示などの閲覧機能や、手書きでコメントを書く機能がある。WebブラウザーにしてはPDFに関する機能は多いが、十分とはいえない

閲覧	PDFを表示するだけでなく、必要に応じて拡大・縮小、回転、見開き表示などで読みやすく表示する機能
作成	文書ファイルや紙の文書をPDF形式に変換する機能
注釈	PDFをチェックする際に、指示や質問事項をコメントとして書き込む機能。また、書き込まれたコメントに対して返信する機能
内容編集	PDF内の文字列や画像などを変更する機能
セキュリティ	作成または編集したPDFファイルにパスワードなどを設定し、閲覧や変更を制限する機能
共有	PDFを複数人で共有したり、順次回覧してチェックしたりする機能

図2 PDFでできることは多いが、Webブラウザーなどの無料アプリでできることは限られている。必要に応じてアプリを追加して、使いやすい環境を整えよう

　PDFを閲覧、編集するアプリとして最もよく使われているのが、PDFの開発元でもあるアドビの「Acrobat」だ。Acrobatには無料版の「Acrobat Reader DC」（以下「Acrobat Reader」）、有料版の「Acrobat Pro」、Web版の「Acrobatオンラインサービス」がある［注］。Acrobat Readerは、有料版の一部機能のみを使える機能限定版（**図3**）。まずは無料版のAcrobat Readerを導入し、足りない機能があればほかのアプリを検討するのがよいだろう。有料版Acrobatを導入するのもよいが、無料アプリやクラウドサービスでも補完できる機能がある（**図4**）。

　本書では、PDFアプリの定番であるAcrobat Readerを中心に操作手順を解説する。Acrobat Readerでできない機能や手間のかかる作業は、ほかの無料アプリやクラウドサービス、有料版Acrobatでの解決策も説明していく。

無料版Acrobat Readerでも閲覧や注釈機能は十分

	Acrobat Reader	Acrobat Pro（有料）	Acrobatオンライン（有料）
閲覧	○	○	○
注釈の追加	○	○	○
文字や画像の編集	×	○	○
PDFの作成	×	○	○
Office形式への変換	×	○	○
PDFの保護	×	○	○
PDFを圧縮	×	○	○
フォーム作成	×	○	×
スキャンとOCR	×	○	×

図3 3種類のAcrobatの機能を比較してみた。無料版でも閲覧機能は有料版に匹敵する。Acrobatオンラインは有料サービスだが、無料で使える機能や試用できる機能も多い（176ページ）

Acrobat Readerの機能を補う無料のアプリやクラウドサービス

PDF-Xchange Editor	無料アプリ	豊富な編集機能、PDF内の文字列を修正可能
CubePDF Utility	無料アプリ	ページの追加、削除、ページの入れ替えなどが可能。パスワード設定にも対応
pdf_as	無料アプリ	ファイルの結合などに加えて、ヘッダー／フッターの追加など、独自の編集機能がある
iLovePDF	クラウドサービス	編集やパスワード設定など、多彩な機能がある
Smallpdf	クラウドサービス	PDFファイルの容量を圧縮
Readable	クラウドサービス	PDFの内容を翻訳

図4 PDFを編集できる無料アプリやクラウドサービスの例。Acrobat Readerとこれらを組み合わせることで、より効果的なPDF編集が可能になる

［注］Acrobatの有料版には、Proの機能をいくつか省いた「Acrobat Standard」もある。本書ではAcrobat Proの機能を「有料版Acrobat」として紹介している

Acrobat Readerの
画面構成をチェック

　本書で主に使用するAcrobat Readerは、PDFの定番アプリであり、すでに利用している人も多いはずだ。しかし、このアプリは有料版Acrobatの機能制限版で、画面の構成はどちらもほぼ同じ。無料版では使用できない機能やツールも表示されるため、ツールをクリックしたら有料版の案内画面が表示されることも少なくない（**図1**）。機能によってはWebブラウザーが起動して購入画面が表示されたりもするので面倒だ。まず

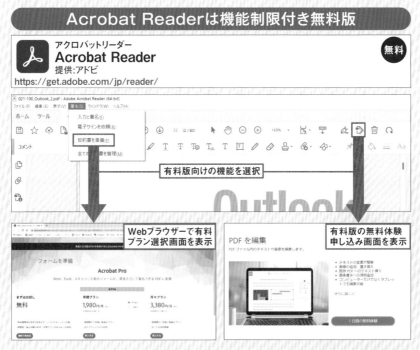

図1 Acrobat Readerの画面には多くの機能が表示されるが、そこには有料版でのみ利用可能な機能も含まれている。うっかりクリックしても自動的に購入してしまうようなことはないが、導入する意思がないときに表示されると、作業の邪魔になることもある

は全体的な画面構成を確認しながら、各部の名称を確認し、使える機能と使えない機能をざっと見ていこう。

　Acrobat Readerで最もよく使うのが、PDFを開くと表示される「文書ビュー」（**図2**）。画面最上段に「メニューバー」、その下に「ツールバー」がある。ツールバーには、PDFを見るときによく使われるツールのみが並んでいる。文書ビューに表示されるメニューやツールにも、有料版のみの機能が含まれている。

PDFの操作を行う「文書ビュー」

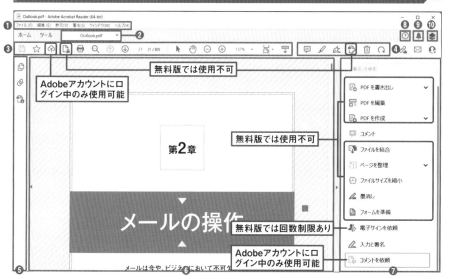

❶メニューバー	機能選択を行うメニューを表示
❷ファイルタブ	開いているファイル名を表示。複数のファイルを開いている場合は、クリックで最前面に表示するファイルを選択できる
❸ツールバー	機能をツールボタンとして表示。初期設定では、保存、印刷、画面表示の切り替えなどのツールが並ぶ「ページナビゲーション」ツールバーが表示される
❹クイックツールバー	頻繁に使用するツールを表示。有料版ではツールのカスタマイズが可能
❺ナビゲーションパネル	ページサムネイル、しおり、添付ファイルなどを表示
❻文書パネル	PDFの内容を表示
❼ツールパネル	機能を選択するためのパネル。選択した機能によっては、専用のツールバーが表示される
❽ヘルプ	ヘルプページを開くためのボタン
❾通知	アドビからの通知が表示される
❿ログイン	Adobeアカウントでログイン中に表示されるユーザーアイコン

図2「文書ビュー」の例。PDFの操作は、上部の「ツールバー」と「メニューバー」、左右の「ツールパネル」と「ナビゲーションパネル」で行う。青い線で囲んだツールなどは、無料版では制限のある機能だ

　Acrobat Readerで特徴的なのは、画面右側に表示される「ツールパネル」。ツールパネルは通常の表示とアイコンのみの表示を切り替えることができ、非表示にもできる（**図3**）。文書ビューの左側に表示される「ナビゲーションパネル」も同様に三角形のボタンをクリックすることで表示／非表示の切り替えが可能だ。

　ツールパネルで選択した機能によっては、その機能に必要なツールバーやパネルが表示される（**図4**）。操作が終わったらツールバー右端の「閉じる」をクリックすると、非表示の状態に戻る。

ツールパネルの表示／非表示を切り替え

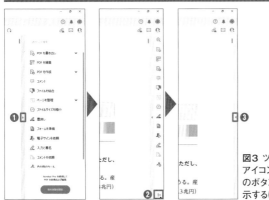

図3 ツールパネル左側にある▶をクリックすると、アイコンのみの表示に変わる（❶）。さらに最下段のボタンをクリックすると非表示になる（❷）。再表示するには◀をクリックする（❸）

選択した機能によって、必要なツールやパネルが表示される

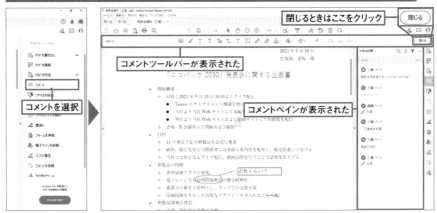

図4 ツールパネルで選択した機能によっては、必要なツールバーやパネルが表示される。操作を終えるときには、「閉じる」ボタンをクリックするとツールバーなどが非表示になる

「文書ビュー」以外の2つのビューについても見ておこう。

起動時に表示される「ホームビュー」は、PDFファイルを選択する画面（**図5**）。通常は「最近使用したファイル」が表示されるので、よく使う文書をすぐに開くことができる。

「ツールセンター」はAcrobat Readerのツールを選択する画面（**図6**）。文書ビューのツールパネルには表示しきれない機能を探すのに役立つ。「追加」と表示されるのは有料版のツールだが、「▼」をクリックして詳細を確認できる。どうしても必要な機能であれば有料版に切り替えるのもよいだろう。

PDFファイルを開く「ホームビュー」

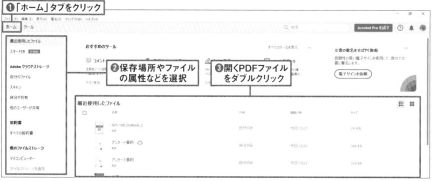

図5 Acrobat Readerの起動時や、「ホーム」タブをクリックすると表示されるホームビュー（**❶**）。画面左側でPDFの保存場所などを選択して（**❷**）、表示されたPDFを開く（**❸**）

Acrobatのツールを選ぶ「ツールセンター」

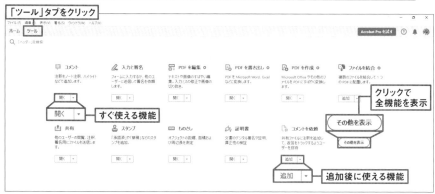

図6 「ツール」タブをクリックすると表示されるツールセンター。「開く」をクリックすると起動できる。「追加」と表示される機能はツールパネルなどに表示されないので、使う場合は追加する

Section
04

毎回表示を変えるのが
煩わしいなら既定を変更

　Acrobat Readerでは、PDFの表示方法として「幅に合わせて連続表示」が既定になっている。文書パネルの横幅いっぱいになるように1ページ目を表示する設定だ（**図1**）。ビジネス文書の多くは縦長なので、幅に合わせると連動して表示倍率が変わるのは煩わしい。毎回表示方法を変更しているなら、設定を変更して手間を省こう。

　それにはAcrobat Readerの「環境設定」画面を開き、「ページ表示」で「ページレイ

PDFを開いたときの表示方法は好みに合わせて指定

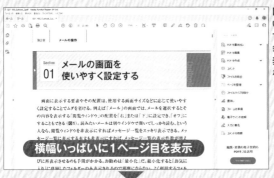

横幅いっぱいに1ページ目を表示

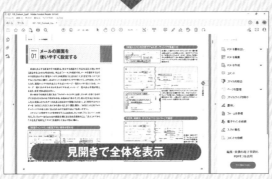

見開きで全体を表示

図1　PDFを開くと、文書パネルいっぱいに最初のページを表示するのが初期設定だ（上）。見開き表示や高さに合わせて全体を表示するなど、好みの設定があるなら、設定を変更しよう（下）

毎回設定
しなくても
いいんだ!

アウト」と「ズーム」の設定を変更する（**図2、図3**）。書籍のように見開き表示を基本にしたいなら「ページレイアウト」で「見開きページ」を選ぶ。「ズーム」の設定は、全体を見渡したいなら「全体表示」、固定の倍率で表示したいなら「100％」などの倍率を選択する。好みや使い方に応じた設定を選ぼう。次回からは、この設定でPDFが開くようになる。

Acrobat Readerの「環境設定」画面を開く

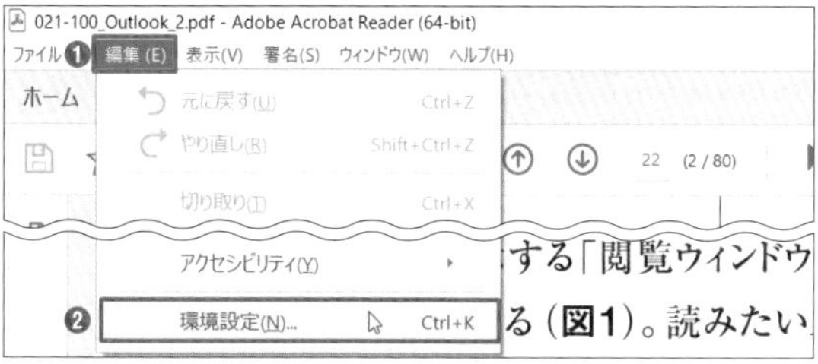

図2 メニューバーの「編集」から「環境設定」を選択する（❶❷）

「ページレイアウト」と「ズーム」の設定を変更

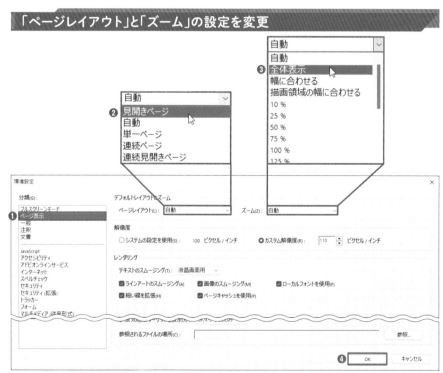

図3 開いた「環境設定」画面で「ページ表示」を選択する（❶）。「ページレイアウト」と「ズーム」の設定を変更して「OK」を押す（❷〜❹）

Section 05
左右のパネルが邪魔なら閉じたまま起動する設定に

　PDFを開くと自動的に表示されるツールパネル。使わない場合は邪魔になり、使うとしても幅を取らないアイコン表示にしたい。またナビゲーションパネルは、ページ数の多いPDFを扱わないなら不要だろう。どちらのパネルも非表示にできるが、Acrobat Readerを起動するたびにパネルを閉じるのでは手間がかかる。パネルの初期設定を変更して、最もよく使う設定にしておこう（**図1**）。

常に表示されるツールパネルとナビゲーションパネル

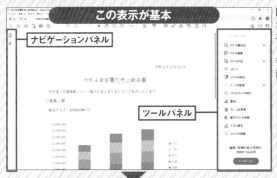

この表示が基本

ナビゲーションパネル

ツールパネル

起動時にこんな表示にしたい

図1 画面の左側にはナビゲーションパネル、右側にはツールパネルが表示されるのが基本だ（上）。使わないパネルは非表示や最小表示にしてPDFを大きく表示させたい（下）

画面がスッキリしたわ

ツールパネルはAcrobat Reader終了時の設定を記憶させることができる。「環境設定」画面で「ツールパネルの現在の状態を記憶」をオンに設定する（**図2**）。ツールパネルを閉じた状態でAcrobat Reader を終了すれば、次回から開かなくなる（**図3**）。

ナビゲーションパネルにはこうした設定はないが、PDFファイルごとにナビゲーションパネルの設定を記憶できる。「環境設定」画面で「文書を再び開くときに前回のビュー設定を復元」をチェックして、ナビゲーションパネルを閉じておく。すると、次回そのPDFを開いたときにはナビゲーションパネルが閉じているはずだ。この設定では、最後に見ていたページも記憶されるため、次回PDFを開くと前回のページが自動的に表示されてすぐに作業を続けられる。

ツールパネルとナビゲーションパネルの状態を記憶する設定に変更

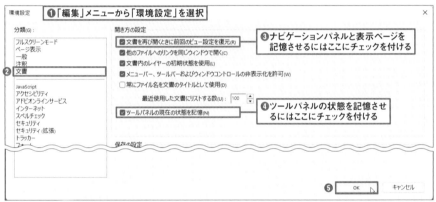

図2 21ページ図2の要領で「環境設定」画面を開いて「文書」を選択（❶❷）。「文書を再び開くときに前回のビュー設定を復元」と「ツールパネルの現在の状態を記憶」にチェックを付け（❸❹）、「OK」を押す（❺）

図3 ナビゲーションパネルとツールパネルを好みの状態に設定（❶❷）。「×」（閉じる）ボタンを押してAcrobat Readerを終了する（❸）。これで次回からツールパネルは閉じたときと同じ状態で起動する。このPDFを開いた場合は、ナビゲーションパネルも閉じたときと同じ状態になり、作業していたページが表示される

Section 06
注釈付きのPDFを開くと自動的にコメントペインを表示

　ペーパーレス化が進み、PDFを回覧してチェックする企業も増えている。PDFを開いただけでは「コメントペイン」(注釈の一覧)が表示されないため、ほかの人のコメントを見るには手動で表示しなくてはならないし、見落とす恐れもある(**図1**)。ツールパネルで「コメント」をクリックすれば済む話だが、その手間を省きたい。コメントの入ったPDFを開くと自動的にコメントペインとコメントツールバーを表示する設定にすれば、ひと目で状

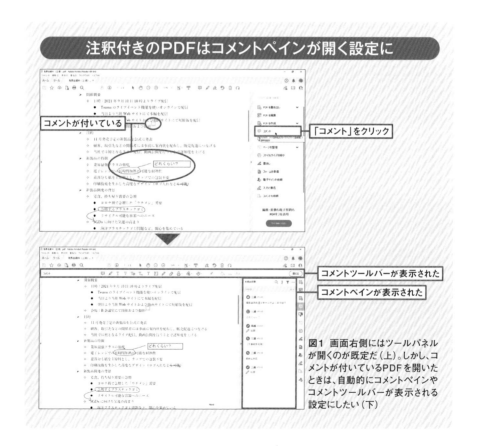

注釈付きのPDFはコメントペインが開く設定に

コメントが付いている

「コメント」をクリック

コメントツールバーが表示された

コメントペインが表示された

図1　画面右側にはツールパネルが開くのが既定だ(上)。しかし、コメントが付いているPDFを開いたときは、自動的にコメントペインやコメントツールバーが表示される設定にしたい(下)

況がわかり、すぐにチェック作業や修正作業に入れる。

設定は簡単だ。「環境設定」画面を開いて、「コメント付きのPDFを開いたときにコメントペインを表示」にチェックを付ける（**図2**）。

この画面では、「マウスのロールオーバーでポップアップを自動的に開く」と「マウスのロールオーバーで注釈アイコンとポップアップをつなぐラインを表示」がオンになっているかどうかも確認しておこう。オンにしておけば、PDF上でコメントの付いた箇所にマウスを重ねると、コメントの内容が自動表示され、楽に確認ができる（**図3**）。

コメントを確認しやすい設定にする

環境設定　❶「編集」メニューから「環境設定」を選択

分類(G)：

フルスクリーンモード
ページ表示
一般
❷ 注釈
文書

JavaScript
アクセシビリティ
アドビオンラインサービス
インターネット
スペルチェック
セキュリティ
セキュリティ (拡張)
トラッカー
フォーム
マルチメディア (従来形式)
マルチメディア 3D
マルチメディアの信頼性 (従来形式)
ものさし (2D)

注釈の表示

フォント(F)*：　Segoe UI

ポップアップの不透明度(O)：　85

☐ テキストマークとツールチップを有効にする(E)
☐ ノートとポップアップを印刷(P)
☑ マウスのロールオーバーで注釈アイコンとポップアップをつなぐラインを表示(L)
☑ 文書のスクロール中にポップアップを表示(N)
❸ ☑ コメント付きの PDF を開いたときにコメントペインを表示(C)

ポップアップを開く動作

☐ ノート以外の注釈で注釈ポップアップを自動的に開く(T)
☐ 注釈リストが開いているときは注釈ポップアップを非表示(H)
☑ マウスのロールオーバーでポップアップを自動的に開く(M)

❹この2カ所にも
　チェックを付ける

図2「環境設定」画面を表示する（❶）。「注釈」を選択し、「コメント付きのPDFを開いたときにコメントペインを表示」にチェックを付ける（❷❸）。2カ所ある「マウスのロールオーバーで…」にもチェックを付ける（❹）。設定が終わったら「OK」をクリックする

図3 図2で2カ所の「マウスのロールオーバーで…」にチェックを付けると、PDF上でコメントの付いた場所にマウスを重ねると、自動的にコメントの内容が表示されるようになる

注釈の作成者名に要注意
ほかの人がわかる名前に

　PDFをチェックするときには、注釈機能を使ってコメントを付ける。しかし、付けたコメントの作成者名が「USER」といった不正確な名前では、「誰のチェック!?」ということになりかねない。複数人でチェックするならなおさらだ。コメントを付けるなら、まずは作成者名の設定を確認して、ほかの人がわかる名前に書き換えよう（**図1**）。

　操作の前に確認しておきたいのが注釈の設定だ。「環境設定」画面で「作成者名と

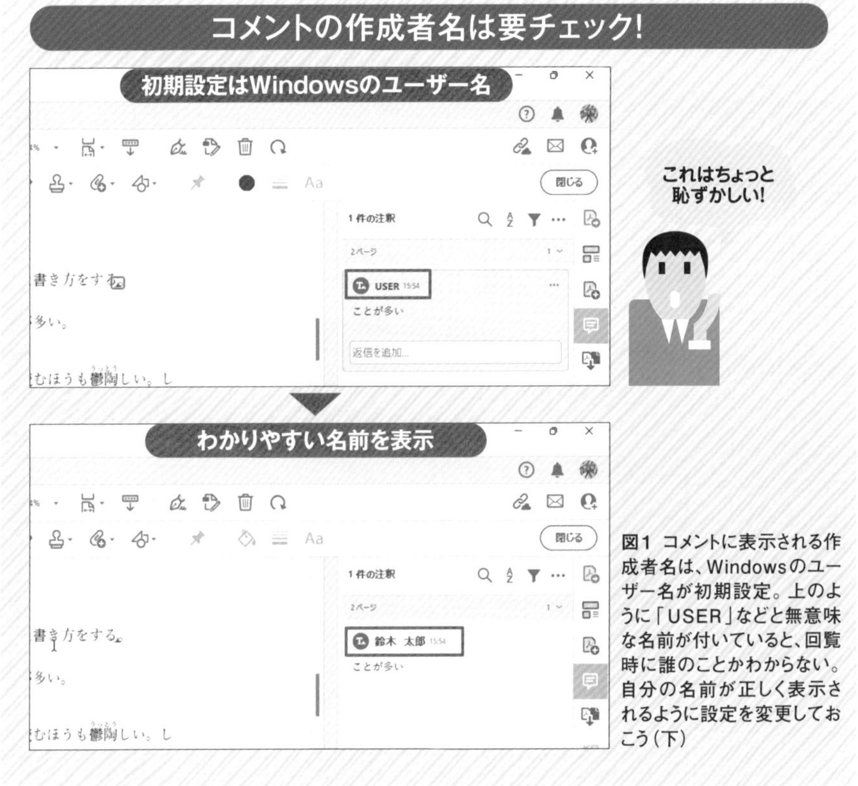

コメントの作成者名は要チェック!

初期設定はWindowsのユーザー名

これはちょっと
恥ずかしい!

わかりやすい名前を表示

図1 コメントに表示される作成者名は、Windowsのユーザー名が初期設定。上のように「USER」などと無意味な名前が付いていると、回覧時に誰のことかわからない。自分の名前が正しく表示されるように設定を変更しておこう（下）

して常にログイン名を使用」にチェックが付いていると、Windowsのサインインで使用している名前が作成者名になってしまう。この名前が不適切ならチェックを外そう（**図2**）。

　次に、コメントを付けるPDFを開き、最初のコメントを付ける。そのコメントのメニューから「プロパティ」を開き、作成者名を変更（**図3**）。「プロパティをデフォルトとして使用」にチェックを付けておけば、以降のコメントの作成者名がすべてその名前になる。

　なお、企業で使用しているAcrobatでは、作成者名があらかじめ指定されている場合があり、作成者名が変更できないことがある。変更が必要なときは、社内のシステム管理者などに相談しよう。

コメントの作成者名を変更する

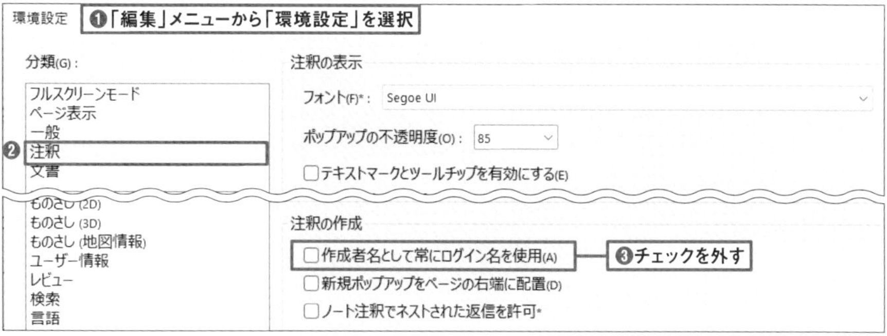

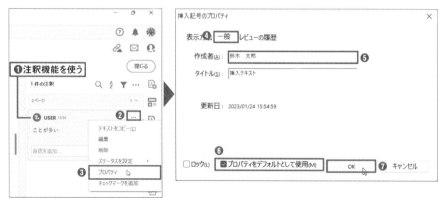

図2 21ページ図2の要領で「環境設定」画面を表示する（❶）。「注釈」を選択し、「作者名として常にログイン名を使用」のチェックを外す（❷❸）。設定が終わったら「OK」をクリックする

図3 「コメントツール」でコメントなどの注釈機能を使うと、コメントペインに表示される（❶）。そのコメントの「…」をクリックして、「プロパティ」を選択する（❷❸）。開いた画面で「一般」タブを選び、「作成者」欄に正しい名前を入力（❹❺）。「プロパティをデフォルトとして使用」にチェックを付け、「OK」をクリックする（❻❼）

Section
08

PDFファイルのアイコンに
1ページ目のサムネイルを表示

　エクスプローラーやデスクトップ画面上に表示されるPDFファイルのアイコンは、どんなデザインになっているだろうか。Windowsの標準では、**図1左上**のようなアイコンになり、ダブルクリックするとEdgeでファイルが開く。Acrobat Readerをインストールして、Acrobat ReaderがPDF用の既定のアプリ（ダブルクリックで開くアプリ）になると、**図1右上**のようにAcrobatのアイコンになるはずだ。いずれにせよ、アイコンを見ただけでは

図1　エクスプローラーなどで表示されるPDFファイルのアイコンを確認してみよう。左上や右上のように同じアイコンで表示されているより、1ページ目のサムネイルが表示されたほうがわかりやすい

ファイルの内容はわからない。**図1下**のようにPDFの1ページ目がサムネイルとして表示
されれば、何のファイルかひと目でわかりやすくなる。

アイコンが図1右上のようにAcrobatのアイコンになっていればよいが、ほかのアプリ
のアイコンになっている場合は、まずはAcrobat Readerを既定のアプリに設定する必
要がある。それには、エクスプローラーやデスクトップ画面上でPDFファイルを右クリック
し、「プログラムから開く」のメニューから、常に「Adobe Acrobat」を使用するように設
定すればよい（**図2、図3**）。

PDFの「既定のアプリ」をAcrobatに変更する

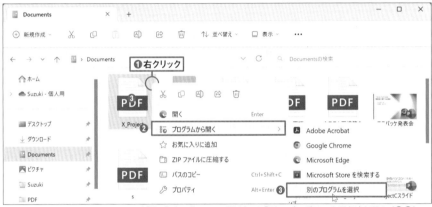

図2 PDFファイルを右クリックする（❶）。「プログラムから開く」から「別のプログラムを選択」を選ぶ（❷❸）

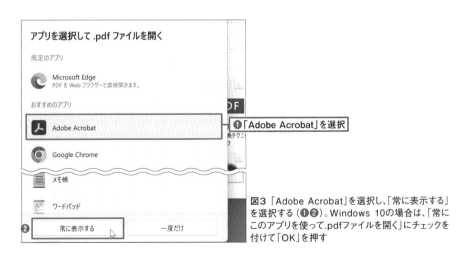

図3「Adobe Acrobat」を選択し、「常に表示する」
を選択する（❶❷）。Windows 10の場合は、「常に
このアプリを使って.pdfファイルを開く」にチェックを
付けて「OK」を押す

　次に、PDFファイルのアイコンにAcrobatのアイコンではなく、1ページ目のサムネイルが表示されるように設定する。Acrobat Readerを起動し、「環境設定」画面を開いたら、「一般」の「Windows ExplorerでPDFサムネールのプレビューを有効にする」にチェックを付ける（**図4**）。アイコンが変わらない場合は、ウインドウを開き直すなど表示を更新することで変わるはずだ。

　なお、ほかのPDF用アプリをインストールすると、PDFの既定のアプリやアイコンが変わることがある。そのときも、同様の手順でAcrobat Readerを既定のアプリにすれば元に戻すことができる。

PDFファイルのアイコンをサムネイルに変更する

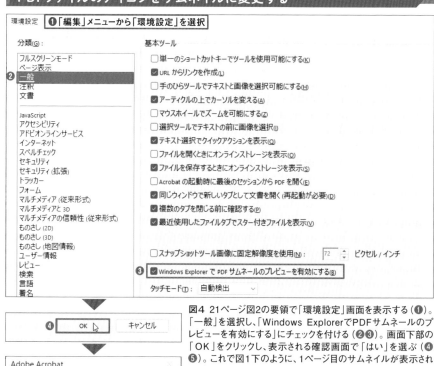

図4　21ページ図2の要領で「環境設定」画面を表示する（❶）。「一般」を選択し、「Windows ExplorerでPDFサムネールのプレビューを有効にする」にチェックを付ける（❷❸）。画面下部の「OK」をクリックし、表示される確認画面で「はい」を選ぶ（❹❺）。これで図1下のように、1ページ目のサムネイルが表示されるようになる

第2章

PDFを素早く開く、快適に読む

画面で読むPDFは、見づらいと感じることがあるかもしれない。しかし、PDFだからこそ、見たいページを素早く開いたり、必要な情報を検索したりといったワザも使える。本のような見開き表示にするなど、便利な機能を有効に使って読みやすく表示させよう。

Section 01 ナビゲーションパネルで 目的のページを探してジャンプ

　長文の資料では、見たいページを素早く表示させたい。前後の画面移動はスクロールバー、ページ移動は画面上部のツールバーを使うのが基本だが、マウスのホイールを前後に動かすほうが直感的でスムーズにスクロールできることが多い（**図1**）。

　ページ数を指定して移動することもできるが、ページ数を覚えていないことも多い。「あの図、どこにあったっけ?」とか「次の章に移動したい」といった場合に便利なのが、

ページめくりはマウスとナビゲーションパネルを活用

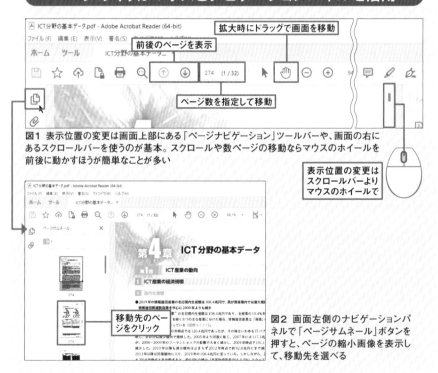

図1　表示位置の変更は画面上部にある「ページナビゲーション」ツールバーや、画面の右にあるスクロールバーを使うのが基本。スクロールや数ページの移動ならマウスのホイールを前後に動かすほうが簡単なことが多い

図2　画面左側のナビゲーションパネルで「ページサムネール」ボタンを押すと、ページの縮小画像を表示して、移動先を選べる

画面左側にあるナビゲーションパネルだ。

　ナビゲーションパネルで「ページサムネール」ボタンをクリックすると、各ページのサムネイル（縮小画像）が表示される（**図2**）。目的のページが見つかったらクリックでそのページを表示できる。ページサムネイルが小さくて見づらい場合は拡大すればよい（**図3**）。ナビゲーションパネルを広げると、サムネイルを複数列で表示したり、パネルの上部に表示されるスライドバーでサムネイルのサイズを自由に変更することも可能だ（**図4**）。

　ナビゲーションパネルには「しおり」が表示されることもある。PDFのしおりはリンク付きの目次のようなもので、見たい項目が見つかったらクリックして該当するページにジャンプできる（**図5**）。Acrobat Readerでの閲覧中にしおりを追加することはできないので、あらかじめしおりが設定されたPDFでのみ利用できる機能だ。

　PDFの先頭には「Home」キー、末尾には「End」キーで移動できることも覚えておくと便利だ。

サムネイルの大きさを見やすく調整する

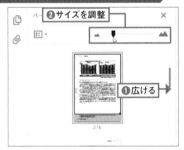

図3 ページサムネイルの「オプション」ボタンをクリックし、「サムネール画像を拡大」を選択する（❶～❸）

図4 ナビゲーションパネルを広げると表示されるスライドバーでサイズを調整（❶❷）

しおりを使って見たい項目へとジャンプ

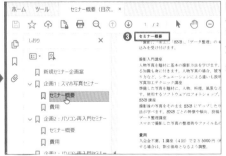

図5 ナビゲーションパネルで「しおり」ボタンをクリック（❶）。見たい項目をクリックすると、該当する箇所が表示される（❷❸）

見たい部分だけを
ピンポイントで拡大表示

　拡大して細部を確認したり、縮小して全体的にチェックしたりするなど、表示倍率を自由に変えられるのはデジタルデータのメリットだ。しかし、拡大の中心点を間違えると、肝心の部分が画面から外れてスクロールに手間取ることもよくある話。

　Acrobat Readerの拡大・縮小はツールバーの「ズームイン」「ズームアウト」ボタンをクリックするか、拡大率を指定するのが基本だ。しかし、これらのツールでは拡大・縮小

ズームイン／ズームアウトを自由に操りたい

図1 ツールバーの「ズーム値」右側にある▼をクリックする（❶）。表示倍率を選ぶと、左上隅を起点として倍率が変わる（❷❸）。見たい部分を直接拡大できないので、拡大後にスクロールが必要なことも多い

見たいのは
もっと下なのに

の起点が左上隅に固定されているため、見たい所だけを大きく表示することができない（**図1**）。また、表示倍率を指定して拡大する場合は、何倍にすれば見やすいかを瞬時に判断するのも難しいものだ。何度も「ズームイン」ツールをクリックしたり、拡大後に見たい部分までスクロールしたりするのは時間の無駄。ピンポイントで拡大したいならズームツールから適したツールを選ぼう。

拡大する範囲をピンポイントで指定するなら「マーキーズーム」（**図2**）。ドラッグした範囲を拡大表示してくれる（**図3**）。

指定範囲を拡大できる「マーキーズーム」

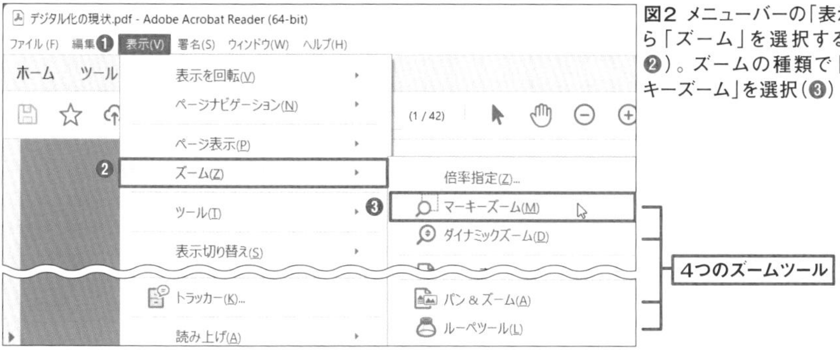

図2 メニューバーの「表示」から「ズーム」を選択する（❶❷）。ズームの種類で「マーキーズーム」を選択（❸）

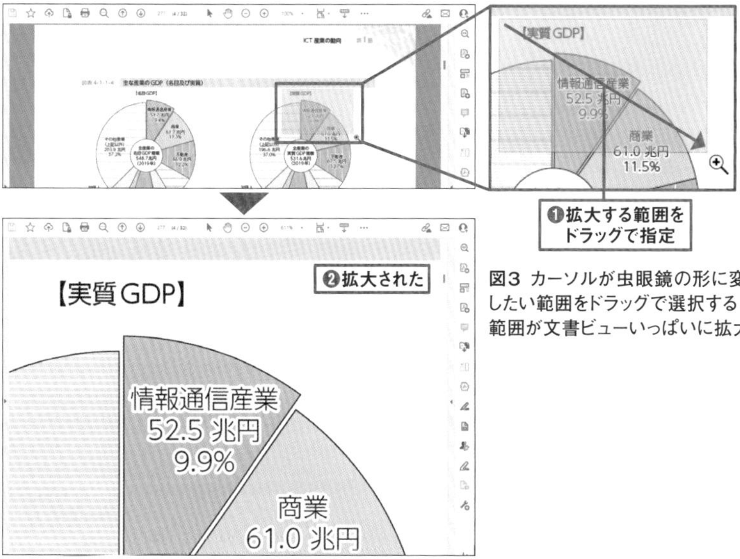

❶拡大する範囲をドラッグで指定

図3 カーソルが虫眼鏡の形に変わったら、拡大したい範囲をドラッグで選択する（❶）。選択した範囲が文書ビューいっぱいに拡大される（❷）

❷拡大された

【実質GDP】

情報通信産業
52.5 兆円
9.9%

商業
61.0 兆円

　自在に拡大・縮小を切り替えたいなら「ダイナミックズーム」がよい。マウスのホイールを前後に動かすだけで、カーソル位置を中心に拡大・縮小できる（**図4**）。

　ページ全体を見渡して、その中で拡大する範囲を選ぶなら「パン＆ズーム」が適している。別ウインドウに表示されるページ全体の縮小画像内で拡大する範囲を指定する（**図5**）。別ウインドウにはページ移動やスクロールのためのツールもあるので、文書内を自由に移動して拡大範囲を指定できる。

マウスホイールでズームする「ダイナミックズーム」

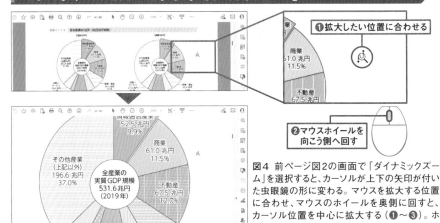

図4 前ページ図2の画面で「ダイナミックズーム」を選択すると、カーソルが上下の矢印が付いた虫眼鏡の形に変わる。マウスを拡大する位置に合わせ、マウスのホイールを奥側に回すと、カーソル位置を中心に拡大する（①〜③）。ホイールを手前側に回すと縮小になる。なお、通常時に「Ctrl」キーを押しながらマウスのホイールを回しても、ダイナミックズームと同じ動作になる

見たい部分を別ウインドウで選択する「パン＆ズーム」

図5 前ページ図2の画面で「パン＆ズーム」を選択すると、画面上に小さいウインドウが表示される。ウインドウ内の赤い長方形が拡大される範囲だ。赤い長方形をドラッグして位置を変えたり、長方形の四隅をドラッグして見たい部分を囲むと、その部分だけを拡大できる（①②）

指定した範囲の拡大画像を別ウインドウに表示するのが「ルーペツール」（**図6**）。狭い範囲を大きく表示したいときに使うと便利だ。

ズームツールを解除する方法も覚えておこう。ズーム用の別ウインドウが表示されている場合は、まず別ウインドウを閉じる。ツールを解除するには「テキストと画像の選択ツール」を選べばよい（**図7**）。

別ウインドウに拡大表示する「ルーペツール」

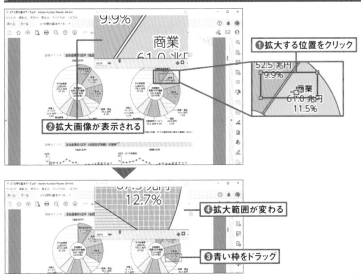

図6 35ページ図2の画面で「ルーペツール」を選択する。クリックするとカーソルの周囲に青い長方形が表示され、その範囲内が別ウインドウに拡大表示される（❶❷）。長方形をドラッグして表示する位置を変えたり、長方形の四隅をドラッグして表示範囲を変えたりできる（❸❹）

ズームツールを解除する

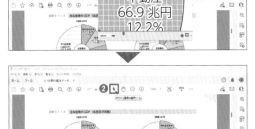

図7 ズーム用の別ウインドウが表示されている場合は「×」ボタンをクリックして閉じる（❶）。ツールバーで「テキストと画像の選択ツール」をクリックすると、ズームツールが解除される（❷）。カーソルの形が元に戻ったことを確認しよう

Section 03　PDF内で文字列を検索 結果はマーカーで目立たせる

　見たい情報がPDF内のどこにあるかわからない場合、役立つのが検索機能だ。Acrobat Readerには2種類の検索機能があるので、用途に応じて使い分けたい。

　一般的なのは、作業中のPDF内で指定した文字列を検索する「簡易検索」（**図1**）。単純に文字列を探すならこちらが適している。

　Acrobat Readerで特徴的なのは「高度な検索」だ（**図2**）。「高度な検索」でできる

2種類の検索機能を使い分け

該当する文字列を探す「簡易検索」

図1 指定した文字列をPDF内で検索する「簡易検索」。文字列がどこにあるか探すだけなら、こちらが簡単だ

複数のPDFを一気に探す「高度な検索」

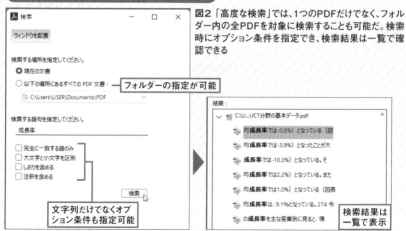

図2「高度な検索」では、1つのPDFだけでなく、フォルダー内の全PDFを対象に検索することも可能だ。検索時にオプション条件を指定でき、検索結果は一覧で確認できる

フォルダーの指定が可能

文字列だけでなくオプション条件も指定可能

検索結果は一覧で表示

ことは3つある。オプション条件の指定、フォルダー内にあるPDFの一括検索、検索結果の一覧表示だ。

　検索のオプション条件とは、「大文字と小文字を区別」「しおりを含める」など、検索結果を絞り込むための条件指定のこと。「簡易検索」では検索後にオプション条件を指定できるが、「高度な検索」ならキーワードと一緒に指定できるので作業が一度で済む。

　「簡易検索」から使い方を見ていこう。ツールバーから「テキストを検索」を選択するか、「編集」メニューから「簡易検索」を選ぶ（**図3**）。開いた検索欄に目的の文字列を入力すると、PDF内の該当する文字列がすべて強調表示になる。「オプション」ボタンから条件を指定して、検索結果を絞り込むこともできる（**図4**）。

「簡易検索」で文字列を探す

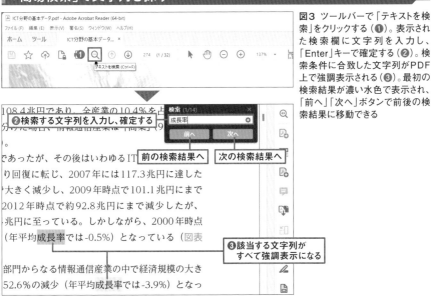

図3　ツールバーで「テキストを検索」をクリックする（❶）。表示された検索欄に文字列を入力し、「Enter」キーで確定する（❷）。検索条件に合致した文字列がPDF上で強調表示される（❸）。最初の検索結果が濃い水色で表示され、「前へ」「次へ」ボタンで前後の検索結果に移動できる

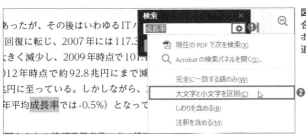

図4　検索結果をさらに絞り込む場合は、歯車アイコンの「オプション」ボタンをクリックして、さらに条件を追加する（❶❷）

　「高度な検索」は「編集」メニューから選択する（図5）。検索条件などの指定は別ウインドウで行う。検索対象のPDFと検索文字列、オプション条件を指定して検索する。検索結果が別ウインドウに一覧表示され、表示中のPDFでも該当する文字列が強調表示になる（図6）。

　検索結果が一覧で表示されると、結果をざっと確認できるだけでなく、検索結果の複数選択も可能だ。すべて選択して「ハイライト表示」にしたり、「ノート注釈」で修正指示を付けたりできる（図7）。

　「高度な検索」では、検索条件の指定画面でフォルダーを選び、フォルダー内のPDFを一括検索することもできる（図8）。PDFをあらかじめ開いておく必要はない。検索結果を選択すると、自動的に該当するPDFが開いて確認できる（図9）。

表示中のPDFで「高度な検索」を使う

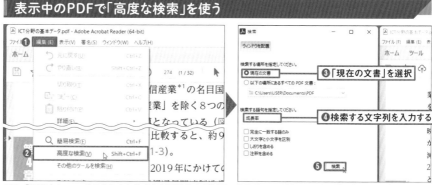

図5　「編集」メニューから「高度な検索」を選択する（❶❷）。表示された別ウインドウで「現在の文書」を選択し、検索する文字列を入力する（❸❹）。「検索」をクリックすると、検索が始まる（❺）

図6　「高度な検索」の検索結果は、別ウインドウに一覧で表示される。検索対象のPDFでは、検索結果が強調表示になる

見つかった語句をすべてハイライト表示

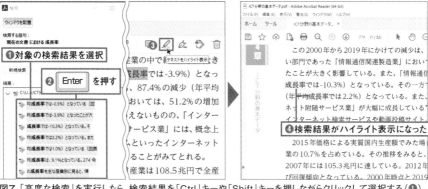

図7「高度な検索」を実行したら、検索結果を「Ctrl」キーや「Shift」キーを押しながらクリックして選択する（❶）。「Ctrl」キーでは飛び飛びに、「Shift」キーでは連続して選択できる。「Enter」キーを押すと、検索結果が選択され、PDF上で強調表示になる（❷）。その状態で「ハイライト表示」を選択する（❸❹）

フォルダー内のPDFを一括検索

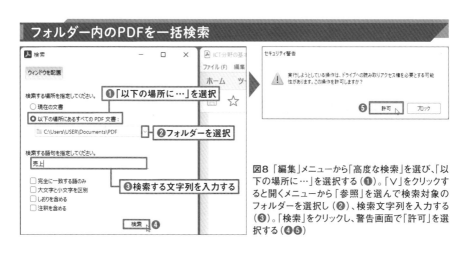

図8「編集」メニューから「高度な検索」を選び、「以下の場所に…」を選択する（❶）。「∨」をクリックすると開くメニューから「参照」を選んで検索対象のフォルダーを選択し（❷）、検索文字列を入力する（❸）。「検索」をクリックし、警告画面で「許可」を選択する（❹❺）

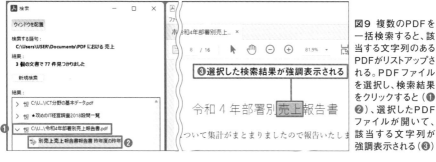

図9 複数のPDFを一括検索すると、該当する文字列のあるPDFがリストアップされる。PDFファイルを選択し、検索結果をクリックすると（❶❷）、選択したPDFファイルが開いて、該当する文字列が強調表示される（❸）

Section 04 表紙があるPDFでも正しく見開き表示に

　パソコンの画面は横長が主流。長文のPDFは、見開き表示にして本のように見ている人も多いだろう。しかし取扱説明書など、表紙のあるPDFを見開き表示にすると、表紙と1ページ目が見開きになって、本文だけを見開きで読みたいときにはそのズレが気になってしまう。その場合も、対処法はある（**図1**）。

　ズレの解消方法を説明する前に、ページの表示方法から確認していこう。

表紙のあるPDFで、本文だけを見開きにしたい

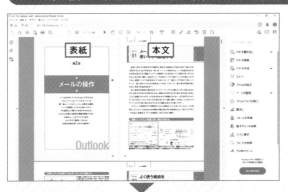

こういうの
気になる

図1　表紙があるPDFは、見開き表示にすると表紙と本文が最初の見開きになってしまう（上）。本文だけを見開きで表示したい（下）

「表示」から「ページ表示」を選ぶと、4つの表示方法が選べる（**図2**）。単一ページか見開きページかだけでなく、スクロールを有効にするかも選べる。

表紙があるPDFの場合、見開きページに設定した後、さらに「見開きページ表示で表紙を表示」を選ぶことで、1ページ目だけを単一ページとして表示できる（**図3**）。

ページの表示方法は、4種類＋表紙を表示

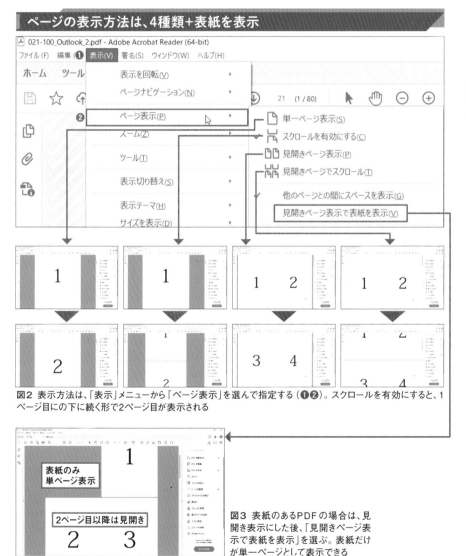

図2 表示方法は、「表示」メニューから「ページ表示」を選んで指定する（**①②**）。スクロールを有効にすると、1ページ目にの下に続く形で2ページ目が表示される

図3 表紙のあるPDFの場合は、見開き表示にした後、「見開きページ表示で表紙を表示」を選ぶ。表紙だけが単一ページとして表示できる

Section 05 縦書き文書の見開き表示が 左右逆になるときは?

横書きの文書は、冊子にしたとき左側を綴じる左綴じになっている。PDFでも左綴じを基準にしているので、見開き表示は左から右へ表示される（**図1**）。しかし、縦書きの小説や漫画など、日本語では右綴じの冊子も多い。PDF自体に右綴じの設定がされていれば問題ないのだが、そうでない場合は左右が逆になって非常に読みづらいものだ（**図2**）。左右を逆に表示するように設定する必要がある。

右綴じの冊子を正しく見開きで表示したい

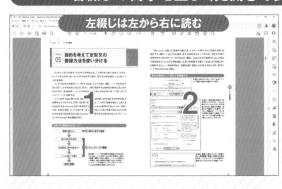

図1 ビジネス文書の標準は横書きなので、見開き表示は左から右にページが並ぶ。本のように読むことができる

図2 縦書きなど右綴じのPDFを見開きにすると、左右が逆転してしまうことがある（左）。ページの並びを右から左にしたい（上）

Acrobat Readerで右綴じに対応するには、「環境設定」画面で「デフォルトの読み上げ方向」を変更する（**図3、図4**）。変更後、いったん単一ページ表示に戻し、再度見開きページ表示を選ぶことで右から左に表示される（**図5**）。ただし、この操作自体が面倒なうえ、次に左綴じの文書を見開き表示にする際には、設定を元に戻さなくてはならないので厄介だ。

見開き表示を右から左に変更する

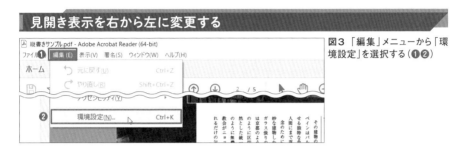

図3 「編集」メニューから「環境設定」を選択する（❶❷）

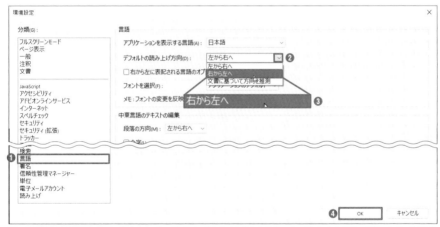

図4 「言語」を選択し（❶）、「デフォルトの読み上げ方向」を「右から左へ」に設定する（❷～❹）。なお、次回左綴じのPDFを表示する際は、「文書に基づいて方向を推測」を選択し直す

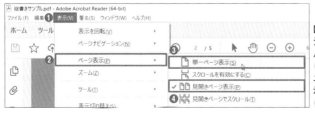

図5 「表示」メニューから「ページ表示」を選び（❶❷）、いったん「単一ページ表示」に戻す（❸）。その後、再度「表示」メニューを開き、「見開きページ表示」を選ぶと正しく表示される（❹）

　左綴じと右綴じの切り替えを頻繁に行うなら、Acrobat Readerではなく、別の無料アプリを使うとよい。PDF編集アプリ「PDF-XChange Editor」は、見開き表示や左綴じ／右綴じの切り替えなどが、Acrobat Readerよりずっと簡単にできる。本来有料のアプリだが、閲覧やコメント機能は無料で利用できる。

　PDF-XChange Editorをダウンロードし、インストール時に「Free Version」（無料版）を選択する。起動してPDFを開いたら、「表示」タブで「見開き」を選択すると見開き表示になる。さらに「右綴じのレイアウト」を選べば、右から左への見開き表示に切り替わる（**図6**）。ワンクリックで切り替えられるのでとても簡単だ。

PDF-XChange Editorなら右綴じへの切り替えがワンクリック

PDF PDFエクスチェンジエディター
PDF-XChange Editor
提供：Tracker Software Products
https://www.tracker-software.com/product/pdf-xchange-editor
【無料】

図6 「PDF-XChange Editor」でPDFを開く。「表示」タブをクリックし（❶）、「見開き」と「右綴じのレイアウト」を選ぶ（❷❸）。これだけで右から左への見開き表示になる（❹）

同じAcrobatでも、無料版と有料版では右綴じへの対応方法が異なるので説明しておこう。有料版Acrobatでは、左綴じと右綴じの切り替えは「プロパティ」で行う。「詳細設定」タブを開き、「読み上げオプション」の「綴じ方」を「右」に変更する（**図7**）。

　この設定をするだけで、見開き表示が右から左に切り替わるので、無料版よりずっと楽だ。さらに良いのは、プロパティの設定はPDFファイルに保存できるため、次回からもこのPDFを開くと自動的に表示が切り替わること（**図8**）。右綴じのPDFを人に送る際にもこの設定をしておけば、ほかのアプリで開いても切り替えの手間がかからない。

有料版Acrobatの場合は「プロパティ」で設定＆保存

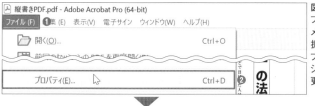

図7 有料版 Acrobat でPDF ファイルを開いたら、「ファイル」メニューから「プロパティ」を選択する（❶❷）。「詳細設定」タブをクリックし、「読み上げオプション」の「綴じ方」を「右」に変更する（❸〜❻）

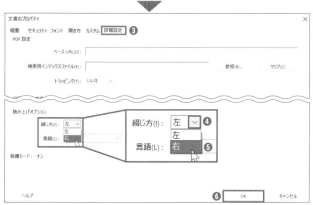

図8 プロパティを変更した後、「ファイルを保存」をクリックしてプロパティの情報をPDFファイルに保存する

Section 06 邪魔なツールパネルや メニューバーを瞬時に隠す

　スマホに比べれば広いパソコンの画面だが、ビジネス文書の標準であるA4縦の文書を表示するにはいささか狭い。画面を広く使うには、上部のメニューバーやツールバー、左右にあるツールパネルやナビゲーションパネルが邪魔になる。PDFだけを画面いっぱいに表示する「フルスクリーンモード」にすれば、邪魔な要素を一切省いて、ページ全体を確認できる（**図1**）。ページ全体の確認や、プレゼンなどでPDFを使う場合も、フ

ページ全体の確認はフルスクリーンモードがベスト

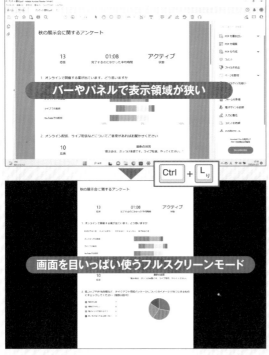

バーやパネルで表示領域が狭い

画面を目いっぱい使うフルスクリーンモード

図1 Acrobat Readerの画面には、メニューバー、ツールバー、左右のパネルなど、PDFの内容以外の要素が多い（上）。「Ctrl」＋「L」キーを押すだけで切り替えられる「フルスクリーンモード」にすれば、ツールやパネルだけでなく、Windowsのタスクバーまで消してページ全体を表示できる（下）

これは
プレゼンにも
使える!

ルスクリーンモードであれば内容のみに集中できそうだ。

　フルスクリーンモードへの切り替えは、「表示」メニューの「フルスクリーンモード」を選ぶか、「Ctrl」+「L」キーを押す（**図2**）。PDF以外の部分が真っ黒になって操作方法に戸惑うかもしれないが、ページの移動はマウスのホイールやカーソルキーで可能（**図3**）。拡大は「Ctrl」+「＋」キー、縮小は「Ctrl」+「－」キーでできる。元の表示に戻すには、再度「Ctrl」+「L」キーを押してもよいが、「Esc」キーでも可能だ。

　フルスクリーンモードの表示は、環境設定でも大きく変わる（**図3**）。「Esc」キーでフルスクリーンモードから抜けるなら「Escキーで取り消し」、操作ボタンを表示したいなら「ナビゲーションバーを表示」をチェックするなど、操作方法に応じた設定にしよう。

「フルスクリーンモード」はキー操作でより便利に

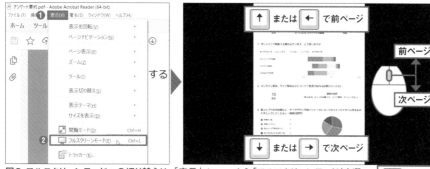

図2 フルスクリーンモードへの切り替えは、「表示」メニューから「フルスクリーンモード」を選択するか（❶❷）、「Ctrl」+「L」キーを押す。切り替え後は、カーソルキーやマウスホイールで前後のページに進み、「Esc」キーでモードを終了する

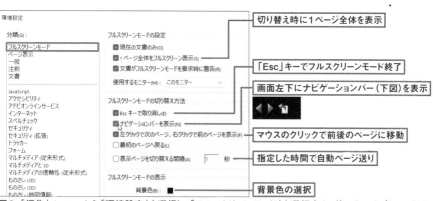

図3 「編集」メニューから「環境設定」を選択し、「フルスクリーンモード」を選択する。使いたいオプションだけチェックを付ける

　PDFを読むだけなら、ツールバーやパネルは隠して、PDFをできるだけ大きく表示させたい。見開き表示も可能な「閲覧モード」を使おう。メニューから選ぶか、「Ctrl」+「H」キーを押すと閲覧モードに切り替わり、ツールバーと左右のパネルが非表示になる（**図4**）。ツールバーが非表示の状態では、画面下中央にカーソルを移動するとミニツールバーが表示され、ページ移動や表示倍率の変更などができる。

　左右のパネルやメニューバーなどが邪魔なときには、ショートカットキーを使えば個別に閉じることもできる（**図5〜図7**）。

見るだけなら便利な「閲覧モード」

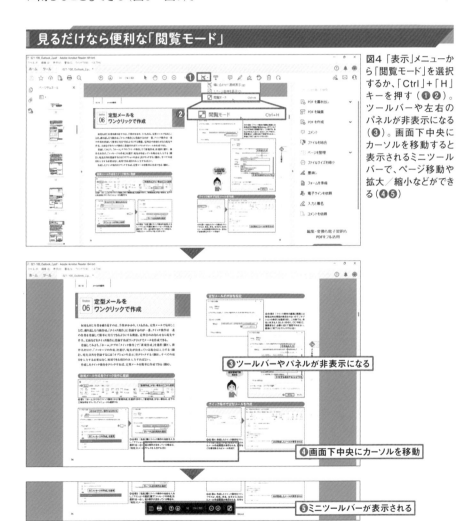

図4「表示」メニューから「閲覧モード」を選択するか、「Ctrl」+「H」キーを押す（❶❷）。ツールバーや左右のパネルが非表示になる（❸）。画面下中央にカーソルを移動すると表示されるミニツールバーで、ページ移動や拡大／縮小などができる（❹❺）

❸ツールバーやパネルが非表示になる

❹画面下中央にカーソルを移動

❺ミニツールバーが表示される

左右のパネルを最小表示

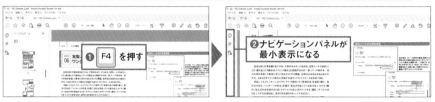

図5 開いているナビゲーションパネルをアイコン表示にするには「F4」キーを押す（❶❷）。もう一度押すと元の表示に戻る

図6 開いているツールパネルをアイコン表示にするには「Shift」+「F4」キーを押す（❶❷）。もう一度押すと元の表示に戻る

ツールバーとメニューバーを表示／非表示

図7「F8」キーを押すとツールバーの表示／非表示が切り替わる（❶❷）。「F9」キーを押すとメニューバーの表示／非表示が切り替わる（❸❹）

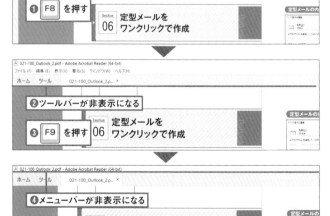

ほかのページと見比べたい！
別ウインドウで並べて表示

　長文のPDFを見ていて、「前のページにあった表と見比べたい」と思ったとき、前の
ページと行ったり来たりして確認するのは時間がかかるうえ、比較しづらい。ページが
離れていればなおさらだ。Acrobat Readerなら、1つのPDFを複数のウインドウで表示
できる。確認したいページを横並びにして表示させれば、しっかり見比べることができる
だろう（図1）。

文書内のほかのページを並べて表示

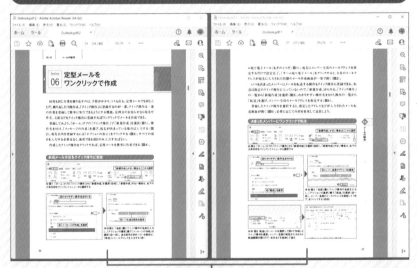

同じPDFファイルを複数ウインドウで表示

これなら
比較しやすい

図1 同じPDFの中で、離れたページにある内容を同時に参照し
たり、比較したりしたいケースがある。そんなときは、それぞれの
ページを別ウインドウで表示させる機能を活用しよう。ページを
行ったり来たりして確認する手間を省ける

使う機能は「新規ウィンドウ」。PDFファイルを開いたら、「ウィンドウ」メニューから「新規ウィンドウ」を選ぶ（**図2**）。すると、現在表示している文書がもう1つのウインドウにも表示される。ウインドウが重なってわかりづらいこともあるが、画面左上に表示されるファイル名の末尾に「:2」と表示されているのが2番目のウインドウだ。

2つのウインドウが開いたら並べて表示する。縦長の文書なら「左右に並べて表示」を選ぶと比較しやすい（**図3**）。どちらかのウインドウでコメントなどを付けると、もう一方のウインドウにも反映される。

表示中のPDFを新しいウインドウにも表示

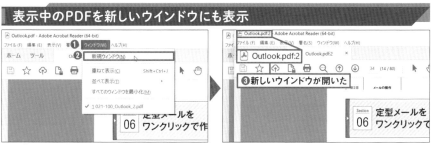

図2 「ウィンドウ」メニューから「新規ウィンドウ」を選ぶ（❶❷）。開いていたウインドウの上に重なるように新しいウインドウが開く（❸）

2つのウインドウを並べて表示

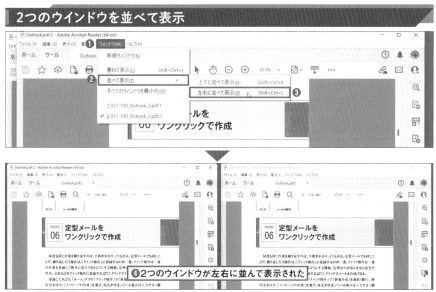

図3 「ウィンドウ」メニューの「並べて表示」から「左右に並べて表示」を選ぶ（❶〜❸）。2つのウインドウが左右に横並びで表示される（❹）

有料版Acrobatで
「また見たい」位置にしおりを追加

　PDFの「しおり」機能を使うと目次のように項目を確認したり、見たい項目にジャンプしたりできる。有料版のAcrobatであれば、自分が見たいページにしおりを挟んだり、設定済みのしおりを変更したりすることも可能だ。

　見出しの項目を選択して「新規しおりを追加」を選ぶとしおりが追加される（図A）。しおりはドラッグで順序を入れ替えたり、階層構造にしたりもできる（図B）。

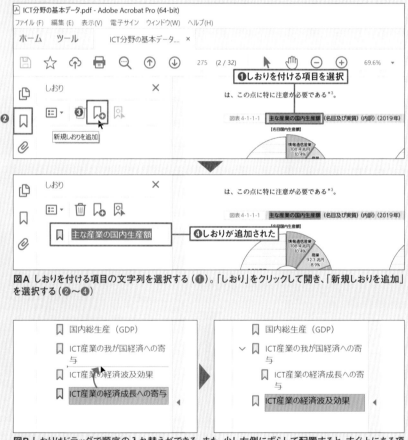

図A　しおりを付ける項目の文字列を選択する（❶）。「しおり」をクリックして開き、「新規しおりを追加」を選択する（❷〜❹）

図B　しおりはドラッグで順序の入れ替えができる。また、少し右側にずらして配置すると、すぐ上にある項目と親子関係になり、階層構造のしおりを作成できる

第3章

見やすいPDFを適切に作成する

Windowsアプリからは印刷機能を使ってPDFファイルを出力できる。ただし、OfficeやWebブラウザーなど、独自のPDF出力機能を持つアプリも多く、それぞれの特徴を理解することで見やすいPDFを作成できる。「しおり」やページ番号などの付け方もマスターしよう。

Section
01

Windowsのアプリで
簡単にPDFを作成

　文書のやり取りや保管にはPDFがよく使われている。そのためPDFを手早く作成できることは、ビジネスパーソンにとって必須のスキルといえる。見やすいPDFを効率良く作成するにはどうすればよいか説明していこう。

　「文書の作成」というと白紙から作るイメージだが、PDFは作成済みのファイルや印刷物をPDF形式に変換するのが基本だ。白紙から作成するなら、Wordなどの文書作

WindowsはPDF化に標準機能で対応

図1　ほとんどのWindowsアプリでPDF形式に出力できるのは、Windowsがプリンターとして「Microsoft Print to PDF」を標準搭載しているおかげだ。「印刷」メニューでこのプリンターを選ぶことで、PDFファイルとして保存できる

どのアプリでも
PDFを作成
できるんだ

成アプリのほうが機能が充実しているので、それらで作成した文書をPDFに出力したほうが手間が省ける。

使用している文書作成アプリにPDFの作成機能が見当たらなくても心配はいらない。Windowsには「Microsoft Print to PDF」という仮想プリンターが付属しており、印刷がPDF作成のツールになる（**図1**）。印刷機能のあるアプリであれば、文書でも画像でもPDFに出力できるので便利だ（**図2**、**図3**）。

WindowsのアプリからPDFを作成

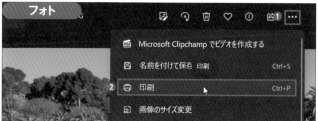

図2 「フォト」アプリの場合、PDFにする画像ファイルを開いたら、メニュー右端の「…」をクリックして「印刷」を選択する（❶❷）

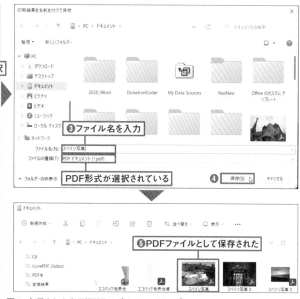

図3 表示された印刷画面でプリンターとして「Microsoft Print to PDF」を選択し、「印刷」をクリックする（❶❷）。すると印刷されるのではなく、ファイルの保存画面が開くので、保存先とPDFのファイル名を指定して保存する（❸❹）。これでPDFファイルが作成される（❺）

WebページのPDF化は
Webブラウザーの機能が最適

いつ更新されるか予測不能なWebページ。資料として「また見たい」と思っていたの
に、アクセスしたら内容が変わっていることもある。そんなときはPDFに出力しておけば、
デザインを崩さずにいつまででも保存できる。

PDFへの出力は、通常の文書などと同様に、「印刷」メニューから行う。「プリンター」
として「Microsoft Print to PDF」を選んでもよいが、Chromeなら「PDFに保存」、

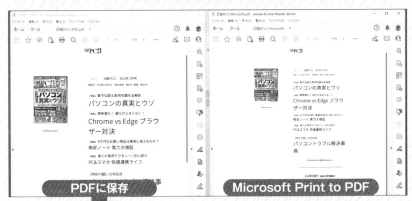

図1 Chromeでは、プリンターとして「PDFに保存」と「Microsoft Print to PDF」のどちらを選んでもPDFに出力できる。「PDFに保存」では、Webサイトへのリンク情報を含めて出力でき、テキストデータも維持される。一方、「Microsoft Print to PDF」を使うと、Webページ内の文字列が画像に変換され、選択してコピーしたり検索したりできなくなるので注意が必要だ。なお、Edgeの場合は「PDFとして保存」と「Microsoft Print to PDF」を選択でき、両者の違いはChromeと同じだ

Edgeなら「PDFとして保存」を選ぶと、文字列を検索可能なPDFを作れる（**図1**）。

操作方法としては、「印刷」メニューから「PDFに保存」を選択するだけで、特にオプション設定などは不要だ（**図2**）。1ページに入りきれない縦長のWebページは、複数ページに分割されたPDFになる。Webページの一部のみが必要なら、その部分を選択後に「印刷」メニューを選び、「選択したコンテンツのみ」をオンにすればよい（**図3**）。

長いWebページも丸ごとPDF化

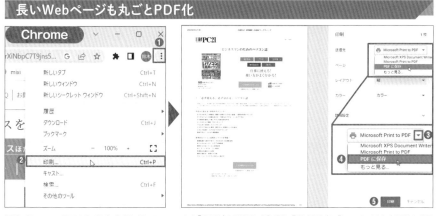

図2 ChromeでPDFに出力するには、メニューから「印刷」を選択し（❶❷）、「送信先」に「PDFに保存」を選ぶ（❸〜❺）。表示される画面でファイル名などを指定して保存する

Webページの一部をスクラップとしてPDF保存

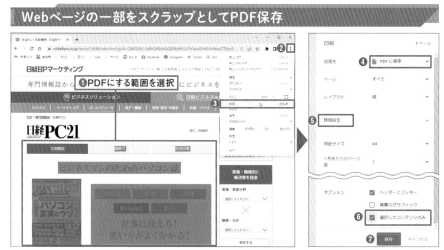

図3 Webページ上でPDFに出力する範囲を選択してから「印刷」を選択する（❶〜❸）。「送信先」として「PDFに保存」を選択し、「詳細設定」から「選択したコンテンツのみ」を選んで保存する（❹〜❼）

Office文書は
エクスポートでPDF作成

前項でも説明したように、アプリ自体にPDF出力機能があれば、「Microsoft Print to PDF」よりも適切なPDFを作成できる可能性が高い。

Word、Excel、PowerPointはビジネスでよく使われるアプリなので、PDFでの保存が求められることも多い。これらのOfficeアプリには、PDF出力ができる「エクスポート」機能があり、「Microsoft Print to PDF」より詳細な設定が可能だ（**図1**）。

エクスポート機能ならオプション設定が可能

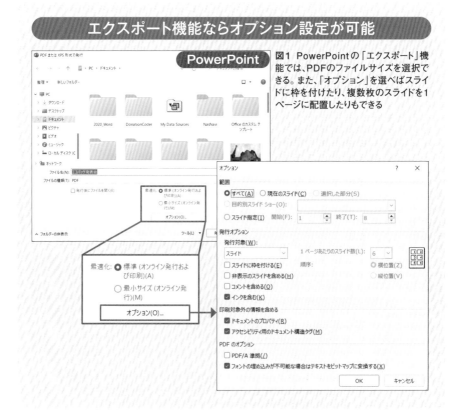

図1 PowerPointの「エクスポート」機能では、PDFのファイルサイズを選択できる。また、「オプション」を選べばスライドに枠を付けたり、複数枚のスライドを1ページに配置したりもできる

ここではExcelで手順を見ていこう。「ファイル」タブで「エクスポート」を選べば、PDF
への出力ができる（**図2**）。Excelの場合も、図1のPowerPointと同様にファイルサイズ
の指定やオプション設定が可能だ（**図3**）。標準では表示中のワークシートのみが出力
されるが、オプション設定でブック全体を出力することもできる。

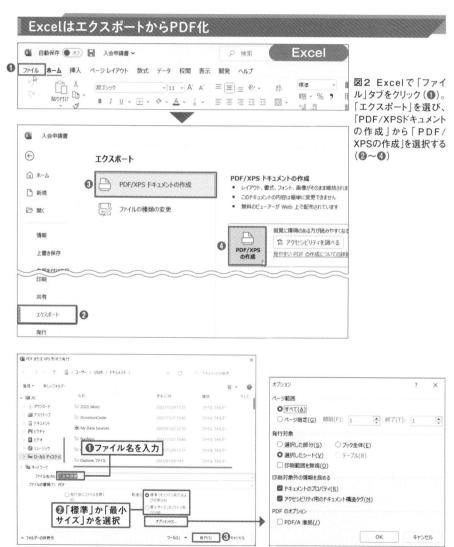

ExcelはエクスポートからPDF化

図2 Excelで「ファイル」タブをクリック（❶）。「エクスポート」を選び、「PDF/XPSドキュメントの作成」から「PDF/XPSの作成」を選択する（❷〜❹）

❶ファイル名を入力

❷「標準」か「最小サイズ」を選択

図3 ファイル名を入力する（❶）。「最適化」で「標準」か「最小サイズ」を選択して「発行」を押せばPDFが作成できる（❷❸）。ページ範囲などを指定する場合は「オプション」を選択して設定する

Officeアプリでは、「名前を付けて保存」でもPDF出力でき、図3と同じ画面にたどり着く。ただし、保存画面でファイル形式をPDFに変更する分だけ手順が多くなるのが難点だ（**図4、図5**）。時短を考えるなら「エクスポート」機能を使おう。

「名前を付けて保存」より「エクスポート」が時短

図4 「ファイル」タブで「名前を付けて保存」を選んでも、PDF出力は可能。その場合、開く画面で、「その他のオプションを選ぶ（❶❷）

この手順が余分ね

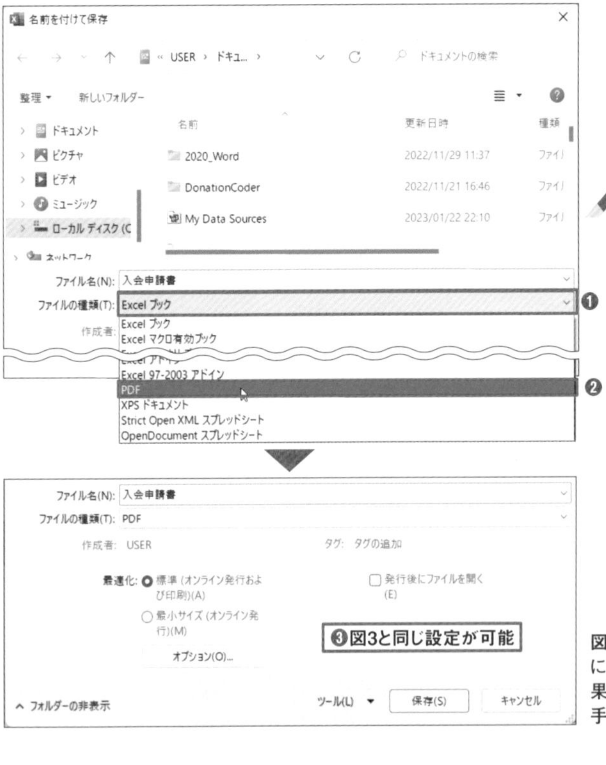

図5 「ファイルの種類」を「PDF」に変更する手順が入る（❶❷）。結果的に図3と同じ設定はできるが、手順が増えるので非効率だ（❸）

❸図3と同じ設定が可能

Column

有料版Acrobatなら「Adobe PDF」で簡単かつ詳細に作成

　有料版Acrobatをインストールすると、プリンターとして「Adobe PDF」が選択できるようになる（図A）。エクスプローラーでファイルを右クリックした際にも、「Adobe PDFに変換」が選択できるので、より簡単にPDFの作成が可能だ。保存時にパスワードを設定するなど、PDFに関する詳細な設定ができる（図B）。一概にはいえないが、「Adobe PDF」のほうが正確な出力ができることが多い。

図A 有料版Acrobatをインストールすると、印刷画面でプリンターとして「Adobe PDF」が選択できるようになる（左）。エクスプローラーでファイルを右クリックした際に表示されるメニューにも「Adobe PDFに変換」が表示されるため、ファイルを開かなくてもPDFが作成できる（右）

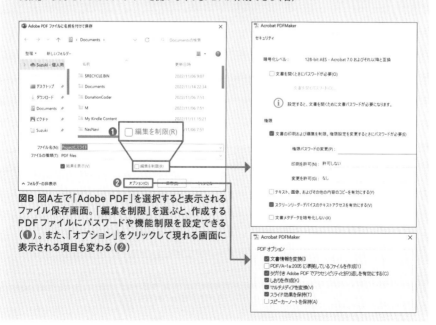

図B 図A左で「Adobe PDF」を選択すると表示されるファイル保存画面。「編集を制限」を選ぶと、作成するPDFファイルにパスワードや機能制限を設定できる（❶）。また、「オプション」をクリックして現れる画面に表示される項目も変わる（❷）

ページ数やExcelのシート名を
PDFに一括表示

　ページ数が多い文書では、各ページの上部に文書名や作成日、ページ数などを印刷するのがビジネス文書の気遣い。紙の時代のように落としてバラバラになることはないが、PDFに変わってもタイトルやページ番号を全ページに入れることで、資料としての使いやすさは間違いなくアップする。

　ファイル内の全ページに共通の項目を表示する方法は、紙に印刷する場合と同じ

PDFのヘッダー／フッターは出力前に設定

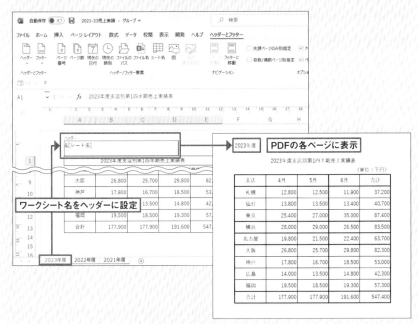

図1 PDFの全ページにページ番号などを表示するには、元文書でヘッダーやフッターを指定する。Excelでは、ワークシート名をそれぞれのページに表示するとわかりやすいことが多い

だ。ページの上部なら「ヘッダー」、下部なら「フッター」機能を使う。作成元のアプリでヘッダーやフッターを設定しておけば、出力後のPDFにも表示される（**図1**）。

　Word文書では、ページの上下にある余白部分をダブルクリックすると、ヘッダー／フッターの編集モードに切り替わる（**図2**）。入力位置をダブルクリックで指定し、表示させたい文字列を入力しよう（**図3**）。ヘッダー／フッターには、ページ番号やファイル名などよく使われる項目が決まっているので、「ヘッダーとフッター」タブからデザインを選ぶだけで簡単に指定することもできる（**図4**）。

Wordでヘッダー／フッターを指定

図2 文書の上か下の余白部分をダブルクリックすると、ヘッダーとフッターの編集モードに切り替わる

図3 表示されたヘッダー領域でマウスを動かすと、カーソルに「中央揃え」や「右揃え」のマークが表示される。ここでは右上に文書名を入れるので、右揃えのマークになっているのを確認してダブルクリックし、文書名を入力する（❶❷）

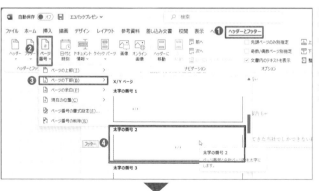

図4 次にフッターにページ番号を表示させる。「ヘッダーとフッター」タブをクリックし、「ページ番号」メニューの「ページの下部」から好みのデザインを選ぶ（❶〜❹）。全ページに指定した形式のページ番号が表示される（❺）

　Wordなどの通常の文書では、ヘッダー／フッターの設定が全ページに適用されるが、Excelのヘッダー／フッターはワークシート単位で設定する。Excelのブック内に複数のワークシートがあり、全ワークシートを1つのPDFファイルにまとめて出力する場合、ワークシート名がPDFの各ページに表示されるとわかりやすい。

　複数のワークシートに共通のヘッダー／フッターを付けるには、最初に設定するワークシートを選択する（図5）。「ページレイアウト」表示にすると、ヘッダー／フッターの領域が表示される。ここではページの右上にワークシート名を表示させたいので、右側のヘッダーを選んで「シート名」を選択する（図6）。続いてフッターに移動し、ページ下部中央にページ番号を指定する（図7）。

PDF化する前に、ヘッダーにシート名を設定

図5　設定するワークシートを選択する。最初のシート名をクリックし、最後のシート名を「Shift」キーを押しながらクリックすると、その間のワークシートをすべて選択できる（❶❷）。「表示」タブで「ページレイアウト」を選択する（❸❹）

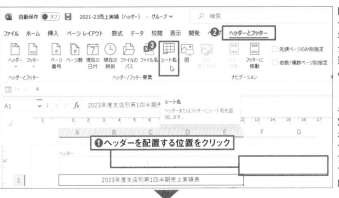

図6　ページ右上にワークシート名を表示する場合は、右側のヘッダー領域をクリックで選択し（❶）、「ヘッダーとフッター」タブから「シート名」を選択する（❷❸）。「＆［シート名］」と表示されれば設定完了だ（❹）。いずれかのシート名を右クリックして「シートのグループ解除」を選ぶと、図5で同時選択した状態を解除できる

「ファイル」タブで「エクスポート」を選んでPDFに出力する際、ブック内の全ワークシートを1つのPDFにまとめるにはオプション設定が必要だ。保存画面で「オプション」を選び、「発行対象」を「ブック全体」に変更してから保存しよう（**図8**）。

ページ番号をフッターに設定

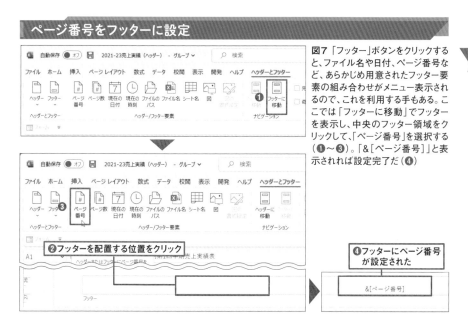

図7「フッター」ボタンをクリックすると、ファイル名や日付、ページ番号など、あらかじめ用意されたフッター要素の組み合わせがメニュー表示されるので、これを利用する手もある。ここでは「フッターに移動」でフッターを表示し、中央のフッター領域をクリックして、「ページ番号」を選択する（❶～❸）。「&[ページ番号]」と表示されれば設定完了だ（❹）

全ワークシートを1つのPDFにまとめて出力する

図8 61ページ図2の要領で「PDF/XPSの作成」を選択し、ファイルの保存画面でファイル名を入力する（❶）。「オプション」を選び、「発行対象」を「ブック全体」に変更してからPDFに出力する（❷～❺）

Section
05

ExcelからのPDF出力で
用紙の向きや改ページを修正

　Officeアプリからの出力は「Microsoft Print to PDF」より「エクスポート」が最適という話をした。「印刷」機能で設定する「Microsoft Print to PDF」であれば、用紙サイズや用紙の向きなどを指定できるが、「エクスポート」にはそういった設定がない。Wordで文書を作成する際には、最初に用紙設定を行うのが一般的だが、Excelの場合は用紙サイズなどを気にせず表を作成する。PDFに出力したら、横長の表なのにページが縦置きに出力され、表が複数ページに分割されてしまうこともある（**図1**）。印

図1 PDFに出力したら、表の一部が2ページ目にはみ出した。しかも、ページが縦置きなのでページの下部には大きな余白ができてしまった

図2 用紙を横置きの設定にして、それでもはみ出すようなら1ページに収まるように縮小したい

刷画面であれば「プレビュー」で気付けることが、「エクスポート」ではわからないのも出力ミスの原因だ。横長の表ならページを横置きにして、きれいに収めたい（**図2**）。

　「エクスポート」でPDFに出力する際には、事前にページレイアウトを確認する。表が横長であれば、用紙の設定を「縦」から「横」に変更しよう（**図3**）。次に「改ページプレビュー」でページ区切りを確認し、はみ出しているようなら改ページの位置を修正する（**図4**）。これでPDFに出力した際もぴったり収まる。

　なお、「ファイル」タブで「印刷」を選ぶと表示される印刷プレビューは、PDFに出力される結果のプレビューにもなるので、「エクスポート」の前に印刷プレビューを確認しておくとよい。

用紙の向きを設定

図3 用紙の向きを横に変更する。「ページレイアウト」タブをクリックし、「印刷の向き」で「横」を選択する（❶〜❸）

ページの区切り位置を変更

図4 「表示」タブで「改ページプレビュー」を選択すると、画面が縮小表示になり、印刷範囲と改ページ位置が示される（❶❷）。ページ区切りを示す青い線をドラッグするだけで、区切り位置を変更でき、その線まで1ページに収まるようになる（❸）

❸ページ区切りを示す青い線をドラッグ

Excelの列見出し、行見出しを PDFの全ページに表示

Excelで作成した大きな表をPDFに出力すると、複数ページに分割される。その際、列見出しや行見出しが2ページ目以降に入っていないと、何の列か、何の行かわかりづらい（**図1**）。列や行の見出しは全ページに表示させよう。

列見出しや行見出しを全ページに表示させるには、「印刷タイトル」機能を使う（**図2**、**図3**）。もともとは紙に印刷するときの設定だが、PDFでも利用できる。

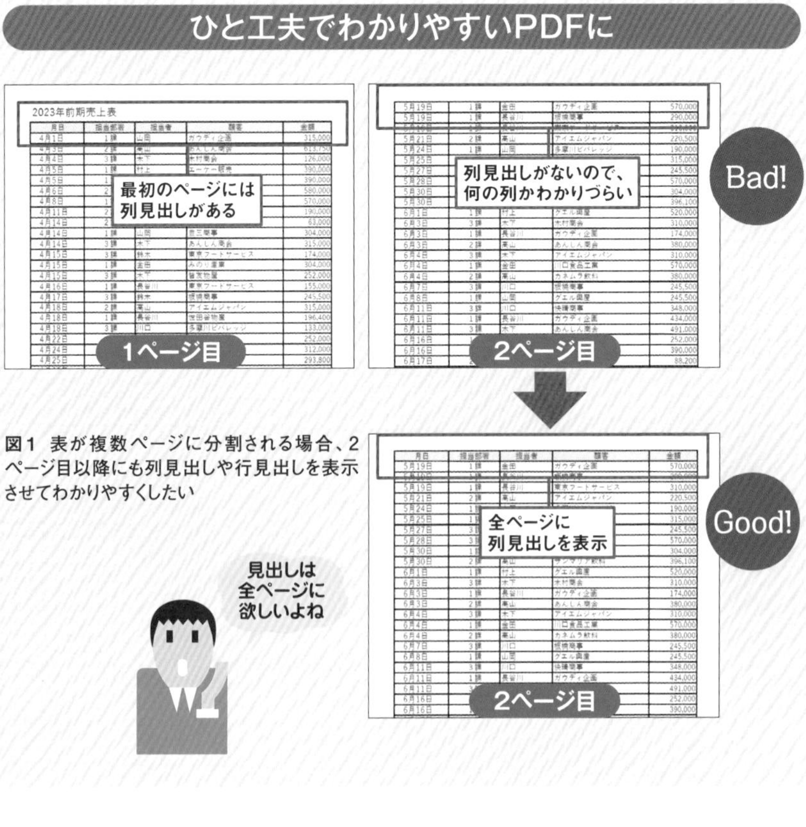

ひと工夫でわかりやすいPDFに

図1 表が複数ページに分割される場合、2ページ目以降にも列見出しや行見出しを表示させてわかりやすくしたい

見出しは全ページに欲しいよね

「印刷タイトル」で全ページに見出しを表示

図2 PDFに出力するシートを開いたら、「ページレイアウト」タブを選択（❶）。「印刷タイトル」を選ぶと、設定画面が表示される（❷）

図3 「シート」タブを選択し、「タイトル行」の入力欄を選択（❶❷）。そのまま列見出しが入力された2行目をクリックして指定する（❸）。「$2:$2」（2行目の意味）と入力されたら画面下部の「OK」を押す（❹❺）。この例で、1行目の表タイトルも全ページに表示させたければ、1行目と2行目をドラッグして「$1:$2」と指定すればよい

71

「しおり」付きPDFは Wordのスタイル機能で作成

　複数ページにわたるPDFを作成するなら、「しおり」（33ページ）を設定しておくと便利だ。ひと目で文書の構造がわかり、見たいページをすぐに開くことができる。Acrobat Readerではしおりを追加できないので、PDF出力を行う前に、文書内にしおりを設定しておく必要がある。特別なアプリがなくても、Wordならしおりを設定できる。

　Wordには、段落書式を設定する「スタイル」機能があり、「見出し」スタイルを適用し

しおりと見出しスタイルの関係

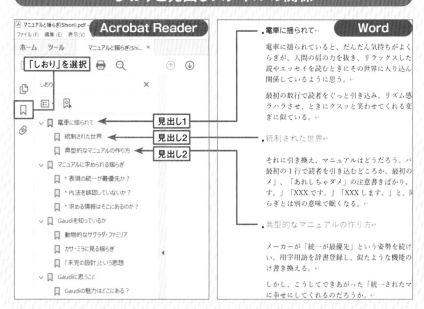

図1 Acrobat Readerでは、「ナビゲーションパネル」で「しおり」を選ぶと、PDFに設定されたしおりが表示される（左）。Wordの「スタイル」機能を使って「見出し」の設定をすると、PDFでしおりとして利用できる。節見出しは「見出し1」、項見出しは「見出し2」のように指定すれば、しおりを階層構造にできる

た段落は、PDF出力時にしおりに変換できる（**図1**）。

　PDFにする文書をWordで開いたら、しおりに入れる段落を選び、見出しスタイルを適用する（**図2**）。タイトルのレベルに応じて「見出し1」「見出し2」……と使い分けることで、階層構造の見やすいしおりになる（**図3**）。よく参照される図版のタイトルも含めるなど、PDFを見る人のことを考えてスタイルを設定しよう。

　文書が完成したら、「エクスポート」機能を使ってPDFに保存する（次ページ**図4**）。見出しスタイルをしおりにするには、「オプション」の設定で「次を使用してブックマークを作成」をオンにして、「見出し」を選択する（**図5**）。

Wordで「見出し」スタイルを適用する

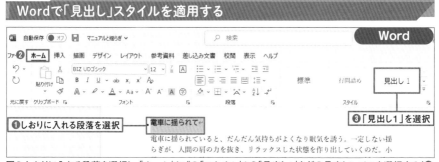

図2 しおりに入れる段落を選択し、「ホーム」タブの「スタイル」から「見出し1」などの見出しレベルを選択する（❶～❸）。スタイルの書式は変更も可能だ

見出しレベルに応じたスタイルでしおりを階層構造に

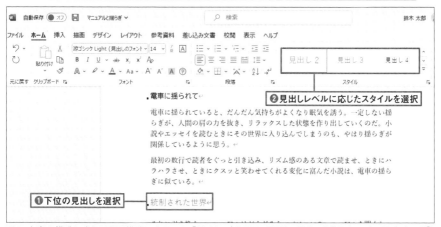

図3 文書の構造に応じた階層構造にするには、「見出し1」より下の階層の見出しを「見出し2」に設定する（❶❷）。必要に応じて、「見出し3」以降のスタイルを作成して設定することもできる

「ブックマークを作成」でしおりを設定できる

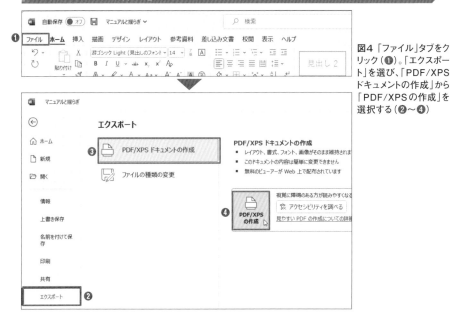

図4 「ファイル」タブをクリック（❶）。「エクスポート」を選び、「PDF/XPSドキュメントの作成」から「PDF/XPSの作成」を選択する（❷～❹）

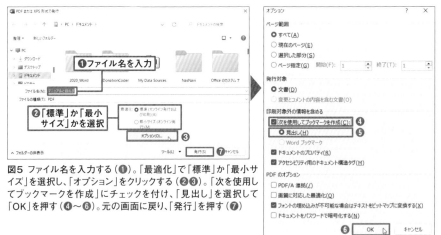

図5 ファイル名を入力する（❶）。「最適化」で「標準」か「最小サイズ」を選択し、「オプション」をクリックする（❷❸）。「次を使用してブックマークを作成」にチェックを付け、「見出し」を選択して「OK」を押す（❹～❻）。元の画面に戻り、「発行」を押す（❼）

　なお、Wordではスタイル機能だけでなく、「挿入」タブの「ブックマーク」を使ってしおりを設定することもできる。ブックマークはWord文書内で使えるしおりの機能だが、PDFのしおりにも変換できる。

Column

ほかの機器で使うPDFは フォントの埋め込みを忘れずに

文字デザインを決定する「フォント」のデータがPDFに含まれていないと、デザインが崩れたり、別の文字に化けたりすることがある。Officeアプリの場合、出力時に「最小サイズ」を選択しても必要なフォントデータは埋め込まれるが、設定が変わっている可能性もある。ほかのパソコンで文字が正しく表示されない場合は設定を確認しよう（図A）。フォントが足りない場合は、「Wordのオプション」で設定を変更してPDFを出力し直す（図B）。ただし、フォントの形式によってはOfficeアプリで埋め込めないことがあるので、できるだけ標準のフォントを使用するほうが安全だ。

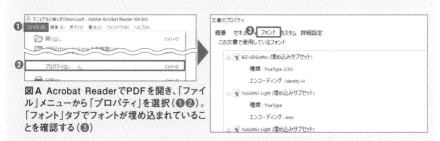

図A Acrobat ReaderでPDFを開き、「ファイル」メニューから「プロパティ」を選択（①②）。「フォント」タブでフォントが埋め込まれていることを確認する（③）

図B WordでPDFの元の文書を開き、「ファイル」タブで「オプション」を選択。開いた画面左で「保存」を選択し、「ファイルにフォントを埋め込む」をオンにする（①②）。Windows以外でも使用するPDFでは、「標準システムフォントは埋め込まない」をオフにしたほうがよい（③）

Section
08

Word以外のアプリで PDFにしおりを付ける

　長文のPDFには設定しておきたいしおりだが、WordやDTPアプリ以外でしおりを設定できるアプリは少ない。PowerPointでは各ページの見出しが自動的にしおりになるが、Excelにはしおりを付ける機能がない。しおりがないPDFは、Acrobat Readerで開いても、ナビゲーションパネルに「しおり」が表示されず、しおりの編集もできない（**図1**）。しおりがないと不便なら、ほかのアプリを使ってしおりを設定しよう。ここでは無料ア

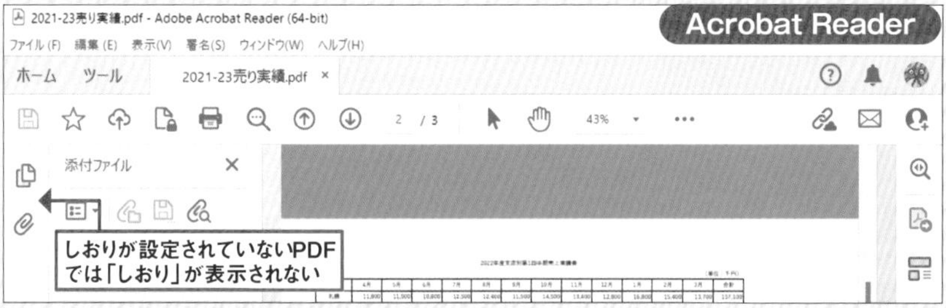

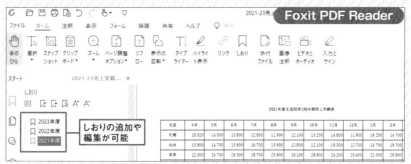

図1 しおりが設定されていないPDFをAcrobat Readerで表示すると、ナビゲーションパネルに「しおり」のアイコンが表示されず、しおりを追加することもできない

図2「Foxit PDF Reader」を使うと、しおりの設定されていないPDFにしおりを追加したり、設定済みのしおりを編集したりできる

プリ「Foxit PDF Reader」を使う。Foxit PDF Readerは、高機能なPDF編集アプリ。しおりの追加や編集もできる（**図2**）。

Foxit PDF ReaderでPDFを開いたら、しおりを追加する（**図3**）。しおりの名前は自由に編集できるので、わかりやすい名前にしておこう（**図4**）。しおりを階層化する場合は、下の階層のしおりを上位のしおりの下にドラッグすればよい（**図5**）。最後に保存すれば、しおり付きPDFができる。

しおりのないPDFにしおりを設定

図3 しおりを設定するPDFを開く。しおりを追加するページを開くか、しおりとして表示させる見出しを選択する（❶）。「しおり」をクリックし、「現在の表示の状態をしおりとして保存」をクリックする（❷❸）

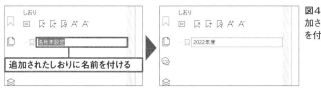

図4 「名称未設定」のしおりが追加されるので、わかりやすい名前を付ける

しおりの階層化はドラッグで

図5 設定したしおりはドラッグで移動できる。階層化する場合は、親となる見出しの下に、子となる見出しをドラッグする

Section
09

Office文書を即座に PDF変換&メール添付

　PDFをメールで送る場合、文書を作成したアプリでPDFにしてからメールアプリを立ち上げて添付ファイルとして送信する、というのが一般的な流れだ（**図1**）。しかし、Word、Excel、PowerPointのファイルなら、わざわざPDFに変換しなくても、メールに添付して送ることができる。条件は、OutlookがWindows既定のメールアプリとして設定されていること。日常的にOutlookを利用しているなら、使わない手はない。

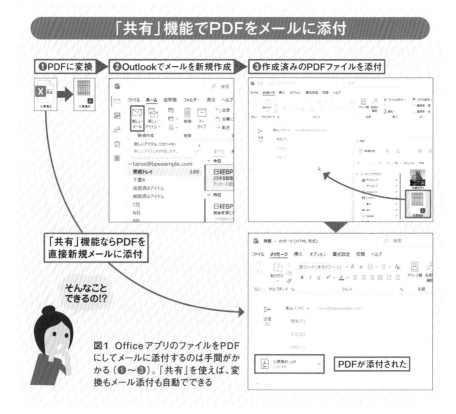

図1 OfficeアプリのファイルをPDFにしてメールに添付するのは手間がかかる（❶～❸）。「共有」を使えば、変換もメール添付も自動でできる

Officeアプリで送信する文書を開いたら、「ファイル」タブで「共有」を選択するのが
ポイントだ（**図2**）。表示される画面で「PDFを送信」を選択すると、PDF化されたファイ
ルが添付されたOutlookのメール作成画面が開く（**図3**）。

　PDFに関する詳細な設定はできないが、手軽にPDFを送りたいときには便利な機能
なので覚えておきたい。

「共有」機能で文書をPDFに変換してメールに添付

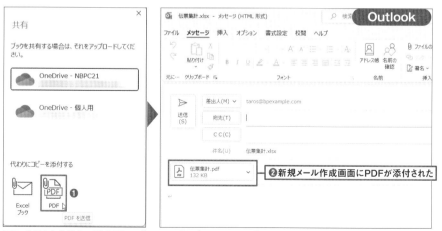

図2 「ファイル」タブを選択し、「共有」を選択する（❶❷）

図3 表示された共有の設定画面で「PDFを送信」を選択する（❶）。これだけで、ファイルがPDFに変換され、Outlookが起動して、PDFが添付された新規メール作成画面が開く（❷）

複数のOfficeファイルを
まとめてPDF化

　PDFに変換するファイル数が多いと、ファイルを1つずつ開いてPDFに変換するのは効率が悪い。ましてやWord、Excel、PowerPointとアプリが異なる場合はなおさらだ（**図1**）。

　有料版のAcrobatであればフォルダー内のファイルをまとめてPDFに変換できるが、Acrobat Readerではできない。ここは別の無料アプリの出番だ。

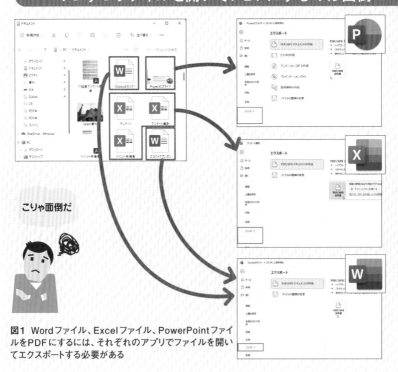

図1 Wordファイル、Excelファイル、PowerPointファイルをPDFにするには、それぞれのアプリでファイルを開いてエクスポートする必要がある

「連続オフィスPDF変換」は、Word、Excel、PowerPointのファイルをまとめてPDFに変換できるアプリ。パソコンにOfficeアプリがインストールされていれば、インターネット環境はなくてもよい。

　「連続オフィスPDF変換」を起動し、開いたウインドウにOfficeファイルをドラッグすれば、準備は完了（**図2**）。変換を実行したら、あとは待つだけでPDFができる（**図3**）。

OfficeファイルをまとめてPDFに変換

れんぞくオフィスPDFへんかん
連続オフィスPDF変換
提供：ベア・コンピューティング
無料
https://www.bear.co.jp/ja/renzokupdfhenkan.htm

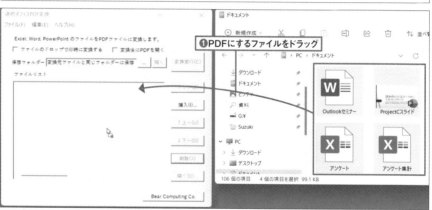

❶PDFにするファイルをドラッグ

図2「連続オフィスPDF変換」を起動し、そのウインドウにPDFにしたいファイルをドラッグで追加する。「挿入」をクリックしてファイルを選択してもよい

PDFの保存先
変更はここから

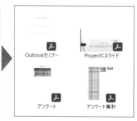

図3 変換するファイルをすべて選択できたら、「変換実行」をクリックする。リストの上から順番にPDFが作成されるので、完了するまで待つ。初期設定ではPDFは元のファイルと同じフォルダーに作成される。保存先を変更する場合は、「保存フォルダー」欄の右の「…」をクリックして保存先を指定する

Section 11 画像ファイルは自由に並べ替えて PDFにひとまとめ

　出張でたくさんの資料写真が撮れたのはいいが、関係者に送付する手段に迷うことはないだろうか。すべての写真を送るのは相手に迷惑。見るのも手間がかかるし、何の写真かわからない。プリントした写真ならミニアルバムにでもまとめたいところだが、Wordなどに1枚ずつ写真を貼り付けて送るのも面倒だ。

　画像ファイルを「使える資料」にしたいなら、PDFにまとめるのはいかがだろう（**図1**、

画像ファイルはまとめてPDFに

図1　旅行や出張の写真を丸ごと送ると、枚数も容量もかさんでしまう。また連番のファイル名では何の写真かわからない。コメントを付けたり、見せたい順に並べたりしてわかりやすくまとめておきたい

自由に書き込めるのは楽しそう

図2　1つのPDFにまとめれば、アルバムのようにページをめくって見ることができ、コメントも付けられる。1ページに複数枚の写真を貼って写真カタログとしても使える

図2）。PDFにすれば画像ファイルを1つずつ開く必要もないうえ、撮影者が説明を付けたり、閲覧者がコメントを書き込んだりすることもできる。

　複数の画像ファイルをPDFにまとめるだけならWindowsのエクスプローラーでもできる。まとめたい画像ファイルを選択し、右クリックから「印刷」を選ぶ（**図3**）。プリンターで「Microsoft Print to PDF」を選べばPDFに出力できる（**図4～次ページ図6**）。画像ファイルの場合は1ページに何枚ずつ表示するかも指定できるので、写真カタログとしても使える。

エクスプローラーの機能で複数の画像ファイルをPDF出力

図3 PDFにまとめる画像ファイルをすべて選択する。連続するファイルはドラッグで選択できる（❶）。飛び飛びのファイルは「Ctrl」キーを押しながらクリックすれば選択できる（❷）

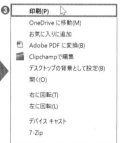

図4 選択したファイルのいずれかを右クリックして（❶）、Windows 10では「印刷」、11では「その他のオプションを表示」→「印刷」を選ぶ（❷❸）

ページレイアウトを指定して出力

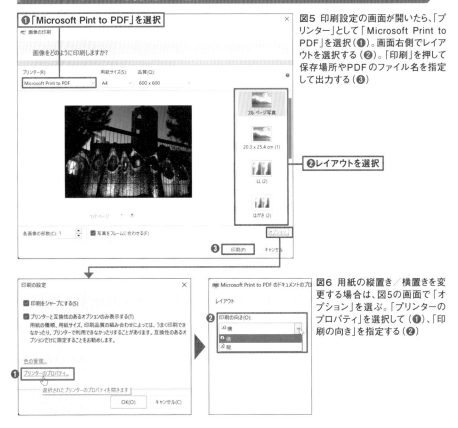

①「Microsoft Pint to PDF」を選択

②レイアウトを選択

③

図5 印刷設定の画面が開いたら、「プリンター」として「Microsoft Print to PDF」を選択（①）。画面右側でレイアウトを選択する（②）。「印刷」を押して保存場所やPDFのファイル名を指定して出力する（③）

図6 用紙の縦置き／横置きを変更する場合は、図5の画面で「オプション」を選ぶ。「プリンターのプロパティ」を選択して（①）、「印刷の向き」を指定する（②）

　エクスプローラーからのPDF出力では、順序が思い通りに並ばないことがある。順序を思い通りに並べ替えてまとめたいときには、無料アプリ「pdf_as」を使ってみよう。

　提供元サイトから圧縮ファイルをダウンロードできるので、そのファイルを展開する。インストール作業は不要だ。フォルダーを開き、「pdf_as」という名前のファイルをダブルクリックすれば起動できる。

　pdf_asのウインドウに、まとめたい画像ファイルをすべてドラッグしていく（**図7**）。すべてのファイルを追加したら、思い通りの順序に並べ替える（**図8**）。最後に「画像ファイルをPDFに変換」をクリックし、保存先やファイル名を指定すればPDFファイルが作成できる（**図9**）。なお、「pdf_as」で変換できる画像ファイル形式は、JPEG、PNG、BMP、TIFF、GIF。これらの形式であれば、混在していてもかまわない。

順序を自由に並べ替えてPDF出力

ピーディーエフアズ
pdf_as
提供:うちじゅう氏
https://forest.watch.impress.co.jp/library/software/pdf_as/

 無料

変換する画像ファイルをドラッグ

図7 「pdf_as」を起動したら、開いたウインドウに画像ファイルをドラッグしてリストに入れる。ほかにも追加したいファイルがあれば、同様にドラッグで追加できる。印刷したい順番に追加していくと効率が良い

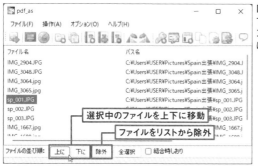

選択中のファイルを上下に移動
ファイルをリストから除外

図8 ファイルの順序を後から変更することもできる。ファイルを選択し、「上に」「下に」ボタンで上下に移動する。余分なファイルがあれば、「除外」ボタンでリストから外せる

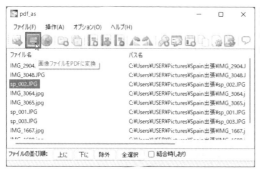

図9 「画像ファイルをPDFに変換」ボタンをクリックする。ファイルの保存画面が表示されたら、PDFファイルの保存場所とファイル名を指定する

3章

見やすいPDFを適切に作成する

85

Officeアプリなしで
OfficeファイルをPDFに変換

　「そのファイル、PDFで送って!」と頼まれたのはいいが、外出先のパソコンにOfficeアプリが入っていないという場合、どうすればよいだろうか。WordやExcelがない環境でファイルをPDFに変換する必要に迫られたら、クラウドサービスを使おう。

　PDFの編集ができるクラウドサービスは多いが、ここで紹介する「iLovePDF」は、多彩な機能を提供するサービスとして定評がある（図1）。アカウント登録不要で使えるの

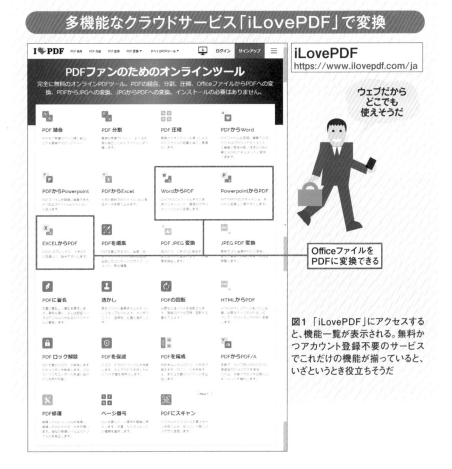

多機能なクラウドサービス「iLovePDF」で変換

iLovePDF
https://www.ilovepdf.com/ja

ウェブだから
どこでも
使えそうだ

Officeファイルを
PDFに変換できる

図1　「iLovePDF」にアクセスすると、機能一覧が表示される。無料かつアカウント登録不要のサービスでこれだけの機能が揃っていると、いざというとき役立ちそうだ

で、外出先などでも簡単に利用できるのが大きな利点だ。

iLovePDFにアクセスしたら、使いたい機能を選択する。ズラッと並んだアイコンから選ぶのもいいが、上部のメニューを使うとより簡単に選択できる（**図2**）。ここではExcelファイルをPDFに変換するので「PDF変換」から「EXCEL PDF変換」を選択する。

あとは変換するファイルを選んで変換スタート（**図3、図4**）。変換後のPDFは自動的に「ダウンロード」フォルダーにダウンロードされる。

「iLovePDF」でExcelファイルをPDFに変換

図2 iLovePDFにアクセスし、「PDF変換」メニューから「EXCEL PDF変換」を選択する（❶❷）

図3 変換するファイルを画面にドラッグするか、「EXCELファイルの選択」から選択する

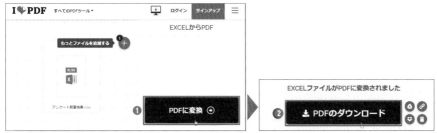

図4 「PDFに変換」をクリックすると変換が始まる（❶）。変換後のファイルは自動的にダウンロードされるが、ダウンロードが始まらない場合は「PDFのダウンロード」をクリックする（❷）

　簡単に使えるiLovePDFは便利だが、本来のOfficeアプリで変換するより精度は落ちることが多い。Word文書をPDFに変換して比較してみたところ、iLovePDFを使って変換したPDFと、Wordから変換したPDFでは、デザインが変わっている部分があった（**図5**）。元の文書に近いのは、Wordで変換したPDFだ。

　「Wordの文書はWordでPDF出力したい」という場合は、少々手間はかかるが、マイクロソフトが提供する「Web版Office」を利用する方法もある。Web版Officeは、Microsoftアカウントがあれば無料で利用できるサービス。企業向けの有料版もある。

　Web版OfficeのWebサイトにファイルを直接アップロードすることもできるが、保存先はマイクロソフトのクラウドストレージ「OneDrive」と決まっている。

　そこで、変換するファイルをあらかじめOneDriveにアップロードしておくと作業がしやすい。WindowsでOneDriveとの同期を設定していれば、OneDriveへのアップロードはエクスプローラーからできるので簡単だ（**図6**）。

　アップロードしたファイルをオンラインで開くと、Webブラウザーが起動してWeb版Officeで編集できるようになる（**図7**）。Web版の場合、「エクスポート」からではなく、「印刷」からPDFに変換する（**図8**）。変換されたPDFは、デスクトップアプリ版のWordで変換した場合とほぼ変わらない。

変換方法によって異なるアウトプット

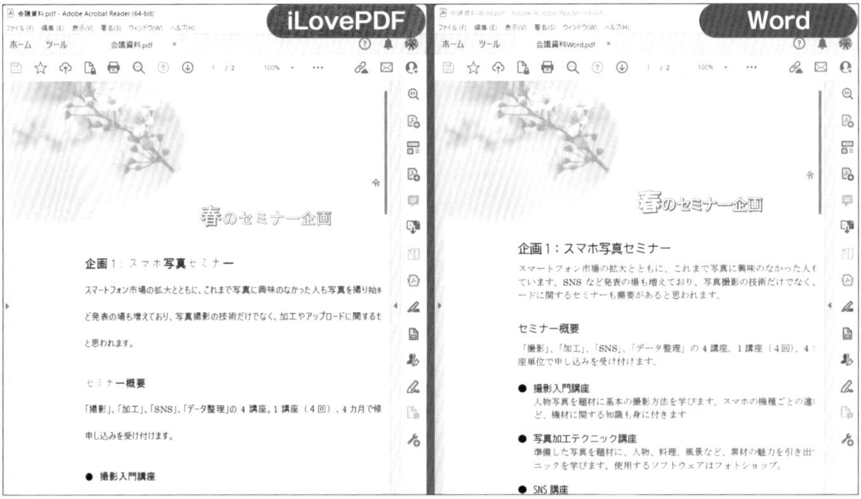

図5 左がiLovePDFでの変換、右がWordでの変換の結果。フォントや行間など、Word文書はWordで変換したほうがデザインが崩れない

OneDriveに保存し、Web版OfficeでPDFに変換

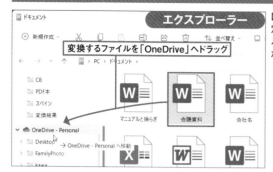

図6 WindowsでOneDriveとの同期を設定している場合、エクスプローラーでファイルを「OneDrive」フォルダーにドラッグするだけでアップロードできる

図7 エクスプローラーで「OneDrive」を開き、アップロードが完了したファイル（緑色のチェックマークが付く）を右クリックする（❶❷）。メニューで「OneDrive」から「オンラインで表示」を選択すると、Webブラウザーが起動してWeb版Office（ここではWord）でファイルが開く（❸❹）

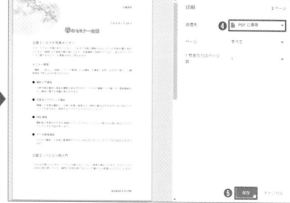

図8 「ファイル」タブをクリックし、「印刷」から「印刷」を実行する（❶〜❸）。59ページ図2右と同じ要領で「PDFに保存」を選び、「保存」をクリックするとPDFをダウンロードできる（❹❺）

Section 13 見られたくない、変えられたくない PDFにはセキュリティ設定

　特定の人にだけ見られるPDFを作成するなら、開封時にパスワードを要求するようにセキュリティ設定をすればよい（**図1**）。セキュリティの設定によっては、「印刷できない」「改ざんできない」「コピーできない」といった制限をかけることもできる（**図2**）。

　ただし、パスワードなどの設定は、無料版のAcrobat Readerではできない。ほかの

パスワードでセキュリティを強化

図1 PDFファイルを開く際、パスワードを要求するように設定することは、Wordでも可能だ

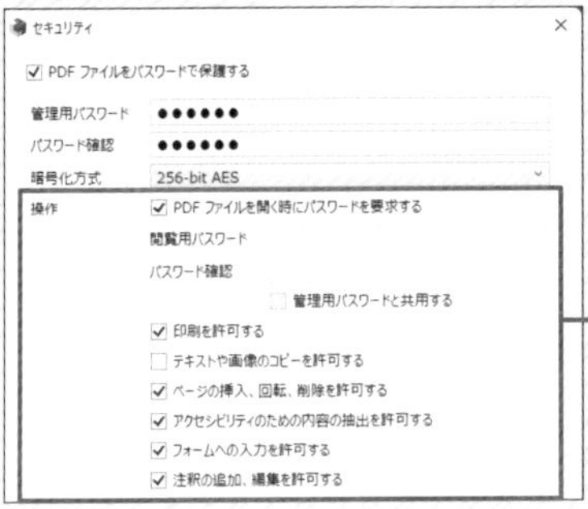

ファイルを開こうとするとパスワードの入力画面が表示

開封時のパスワード要求だけでなく、印刷や編集を制限する機能も使える

図2 アプリによっては、印刷、コピー、編集などの機能ごとに制限をかけたPDFも作成できる

アプリでセキュリティを設定する方法を紹介しよう。

　Wordにはファイルを開く際のパスワードを設定する機能がある。Word文書をPDFに変換するなら、「エクスポート」機能でPDFファイルに出力する際、オプションでパスワードを設定すればよい（**図3、図4**）。「閲覧はできるがコピーは禁止」といった細かい設定はできないが、機密文書などの漏洩を防ぐことができる。

Wordでパスワード設定後にエクスポート

図3　「ファイル」タブの「エクスポート」から「PDF/XPSドキュメントの作成」→「PDF/XPSの作成」を選択すると表示されるファイル保存画面。パスワードを設定するには「オプション」を選択する

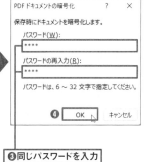

❸同じパスワードを入力

図4　表示されるオプション画面で「ドキュメントをパスワードで暗号化する」をオンにして「OK」ボタンを押す（❶❷）。次に表示される画面でパスワードを設定して「OK」ボタンを押す（❸❹）

91

　印刷やコピーなど、機能単位で制限したければ、無料アプリ「CubePDF Utility」を使う。PDFファイルを開き、「セキュリティ」の設定画面を開く（**図5**）。「PDFファイルをパスワードで保護する」にチェックを付けたら、セキュリティ設定を行う際の「管理用パスワード」を設定する（**図6**）。パスワードを知らない人がPDFを開けないようにするには、「PDFファイルを開くときにパスワードを要求する」をオンにしてパスワードを指定する。このパスワードは管理用パスワードと同じにすることも可能だ。画面下部に印刷、コピー、ページ編集などの項目が並んでいるので、許可する項目のみにチェックを付ける。

CubePDF Utilityで詳細な制限をかける

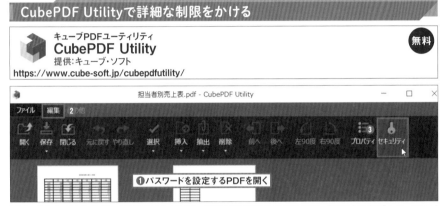

図5　「CubePDF Utility」を起動して、パスワードを設定するPDFを開く（❶）。「編集」タブの「セキュリティ」を選択する（❷❸）

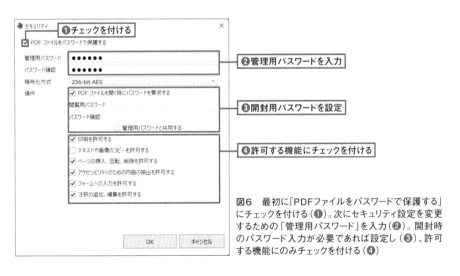

図6　最初に「PDFファイルをパスワードで保護する」にチェックを付ける（❶）。次にセキュリティ設定を変更するための「管理用パスワード」を入力する（❷）。開封時のパスワード入力が必要であれば設定し（❸）、許可する機能にのみチェックを付ける（❹）

Column 有料版Acrobatなら より詳細なセキュリティ設定が可能

有料版Acrobatでは、「セキュリティ設定」から「パスワードを使用して保護」を選択することで、「閲覧」と「編集」のパスワードを設定できる（図A）。「詳細オプション」から「セキュリティプロパティ」を選択すると、より細かい設定が可能だ（図B）。

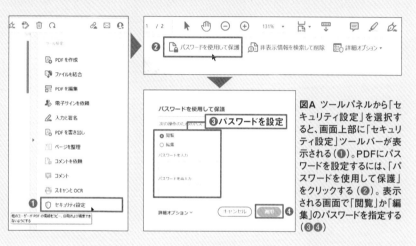

図A ツールパネルから「セキュリティ設定」を選択すると、画面上部に「セキュリティ設定」ツールバーが表示される（❶）。PDFにパスワードを設定するには、「パスワードを使用して保護」をクリックする（❷）。表示される画面で「閲覧」か「編集」のパスワードを指定する（❸❹）

図B 「セキュリティ設定」ツールバーから「詳細オプション」を選び、「セキュリティプロパティ」を選択（❶❷）。「セキュリティ方法」で「パスワードによるセキュリティ」を選択する（❸❹）。開封パスワードは「文書を開くときにパスワードが必要」にチェックを付けて指定。印刷や編集の権限は「文書の印刷および…」で設定する（❺）

ファイルに自動保存される
作成者やタイトルなどに注意

　作成したPDFファイルには、「プロパティ」として作成者名などの情報が保存される。不特定多数に配布するPDFでは、作成者が特定されるなど、困ることもあるので確認しておこう。Acrobat Readerで「ファイル」メニューから「プロパティ」を選択すると、内容が確認できる（図A）。表示したくない情報が含まれている場合、Acrobat Readerでは編集できない。CubePDF Utility（92ページ）であれば、プロパティの編集も可能だ（図B）。

Acrobat Reader

文書のプロパティ

概要　セキュリティ　フォント　カスタム　詳細設定

概要

　　ファイル：体験セミナー（パスワード付き）

　　タイトル：

　　作成者：Guell Suzuki

　サブタイトル：

　キーワード：

　　作成日：2023/02/06 11:09:47

　　更新日：2023/02/06 11:09:47

　アプリケーション：Microsoft® Word for Microsoft 365

詳細情報

PDF 変換：Microsoft® Word for Microsoft 365

PDF のバージョン：1.7 (Acrobat 8.x)

　　場所：C:\Users\USER\Documents\PDF\

ファイルサイズ：370.94 KB (379,846 バイト)

ページサイズ：210 x 297 mm

タグ付き PDF：はい

ページ：

Web 表示用に最適

図A Acrobat Readerで設定を変更するPDFファイルを開き、「ファイル」メニューから「プロパティ」を選択する。作成者名やタイトルなどが表示される。Acrobat Readerでは表示するだけで、プロパティを編集することはできない

CubePDF Utility

● 文書プロパティ

概要

ファイル名　2021-23売上実績.pdf

タイトル

作成者　鈴木太郎

サブタイトル

キーワード

詳細情報

バージョン情報　PDF 1.7

ページレイアウト　連続ページ

アプリケーション　Microsoft® Excel® for Microsoft 365

PDF 変換　Microsoft® Excel® for Microsoft 365

ファイルサイズ　144 KB (147,577 バイト)

作成日時　2023/02/03 12:45:27

最終更新日時　2023/02/03 12:47:45

OK　　キャンセル

図B CubePDF Utilityで設定を変更するPDFファイルを開き、ツールバーから「プロパティ」を選択する。タイトルや作成者などを変更可能だ

校正作業は「コメント」で
ペーパーレス

文書のチェックは紙からPDFに変わった。修
正の指示や意見の書き込みがパソコンででき
れば、印刷の手間も紙の無駄もなくせる。
Acrobat Readerの「コメント」機能を利用し
て、効率良く校正するコツを解説しよう。

知っておきたいコメントツールと
コメントペインの役割

　受け取った書類をチェックして、修正指示を入れて送り返すことはよくある。そんなとき、いったん紙に印刷して赤ペンで指示を書き込んでいるなら、やり方を改めよう。PDFなら、パソコンの画面上で直接赤字を入れて、ファイルのまま返送できる。Acrobatの「コメント」ツールを使うのだ。

　ツールパネルで「コメント」をクリックすると、画面上部にはコメントツールバー、画面右側にはコメントペインが表示される（**図1、図2**）。

コメントツールでの指示をコメントペインに表示

図1 ツールパネルで「コメント」を選択すると、コメントツールバーとコメントペインが表示される

図2 コメントツールバーの各ツールの役割。ツールバー右側の3つのアイコンは、左側で選択したツールの属性などを設定する際に使う

コメントツールでPDF上に書き込むと、コメントペインの注釈一覧に順次表示される。コメントの文字列だけでなく、線や図形、ハイライト表示など、コメントツールでの書き込みがすべて表示されるので、PDF上では見えづらくても、コメントペインをチェックすれば漏れなく確認できる。コメントペインで選択したコメントはPDF上で強調表示されるのでどの部分に対するコメントかもすぐわかる。

コメントツールバーに並ぶのは、コメントを入力したり、修正位置を示したりするためのツール（**図3**）。ひと通り確認しておこう。

主なコメントツールの機能

	ツールの名前	機能
	ノート注釈を追加	対象となる図形などに小さな吹き出しの形のアイコンを表示し、注釈を記入
	テキストをハイライト表示	文字列にマーカーを引いて目立たせる
	テキストに下線を引く	文字列の下に線を表示
	テキストに取り消し線を引く	文字列の中央に取り消しを示す線を表示
	置換テキストにノートを追加	文字列の中央に取り消し線を表示し、代わりの文字列を指示
	カーソルの位置にテキストを挿入	カーソルのある位置に文字や改行を挿入
	テキスト注釈を追加	クリックした位置を始点として文字列を入力
	テキストボックスを追加	クリックした位置を始点としてテキストボックスを挿入
	描画ツールを使用	ドラッグで手書き風の線を描く
	描画を消去	「描画ツールを使用」ツールで描いた線を消す
	スタンプを追加	クリックするとスタンプや印鑑を選ぶメニューを表示
	新規添付ファイルを追加	指定した位置にファイルを添付
	描画ツール	クリックすると線や図形を追加するメニューを表示

図3 コメントツールバーの各ツールには、コメントを入力したり、指示の対象を示すためのツールが並ぶ

Section 02 コメントツールの線や色を もっと自由に使い分ける

　テキストボックスや描画ツールなどのコメントツールは、線や塗りつぶしの色を変更できる。通常、テキストボックスの枠線は赤、塗りつぶしの色は白、文字色は赤という目立つ配色になっている。しかし、PDFの背景色が濃い場合など、色を変更しないと目立たないこともある。コメントツールバー右側にある「色を変更」や「線の太さを変更」を使えば色や線を変えられるのだが、これがかなり使いづらい。コツをつかむ必要がある。

コメントツールバーでの書式変更は手間がかかる

図1「テキストボックスを追加」を選択する（❶）。ドラッグでテキストボックスを描き（❷）、文字を入力する（❸）。表示されるツールバーで文字色は変えられるが、このままだとテキストボックスの色は変えられない

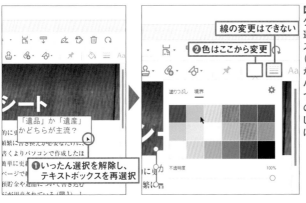

図2 いったんテキストボックスの枠外をクリックして選択を解除し、再度テキストボックスを選択する（❶）。コメントツールバーから「色を変更」を選ぶとパレットが表示され、「塗りつぶし」と「境界」（枠線）の色を変更できる（❷）。しかし、「線の太さを変更」は選択できない

テキストボックスの色を変える手順で説明しよう。テキストボックスは作成後でないと色を変更できないので、先にテキストボックスを作成して内容を入力する（**図1**）。文字色はパレットから指定できるが、テキストボックスの背景色や枠線は変更できない。いったん選択を解除した後に再度テキストボックスを選択すると、枠線と塗りつぶしの色を変更できる（**図2**）。しかし、「線の太さを変更」は選択できず、図2のパレットでは塗りつぶしを透明にする設定はできない。面倒なうえ、設定できない項目があるのは困る。

そこで図形の書式設定は、コメントツールバーではなく「プロパティ」画面を使うとよい（**図3**）。プロパティを表示させれば、枠線の幅や塗りつぶしの色などをまとめて設定でき、塗りつぶしを透明（カラーなし）にすることもできる（**図4**）。

色は「プロパティ」で一括設定

図3 テキストボックスを右クリックして「プロパティ」を選択する（❶❷）。または、図2右のパレットの右上にある歯車をクリックしてもプロパティの設定画面を開ける（右）

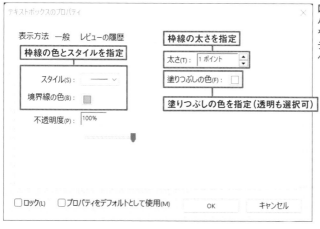

図4 テキストボックスのプロパティ画面。枠線のスタイルや太さ、塗りつぶしの色など、テキストボックスの書式をすべて設定できる

　枠線や塗りつぶしの色を変更すると、それ以降はその色が適用される。Acrobat Readerを再起動しても設定が残るので、ずっとその設定を使いたいときにはよいが、一時的に設定を変更したい場合、元に戻すために再度書式変更が必要だ。

　書式を変更する機会が多いなら、図形などのプロパティ（属性）を表示する「プロパティバー」を出しておくと便利だ。「表示」メニューから「プロパティバーを表示」を選択すると表示できる（**図5**）。

　プロパティバーが出ている状態でコメントツールを選ぶと、そのツールのプロパティが表示される（**図6**）。図形を書く前に書式を確認でき、必要に応じて書式の変更も可能だ。「Ctrl」+「E」キーで表示／非表示の切り替えができるので覚えておきたい。

プロパティバーで図形の属性を確認、変更

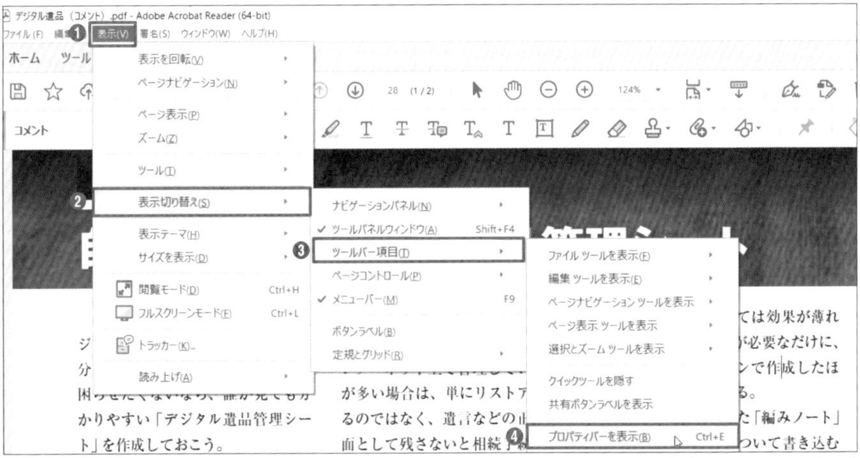

図5「表示」メニューを開く（❶）。「表示切り替え」（❷）から「ツールバー項目」（❸）の「プロパティバーを表示」を選択する（❹）

図6 現れたプロパティバーには、選択中のツールのプロパティが表示される。テキストボックスを選択した場合は、塗り色、枠線の色とスタイル、太さ、不透明度の確認や変更ができる。書式を設定してから図形を描こう

Acrobat Raderには、Wordのスタイル機能のように、図形の属性を複数記憶させて使い分ける機能はない。カラフルなコメントを付けたいのであれば、ほかの無料アプリでチェック作業を行うという選択肢もある。

「PDF-XChange Editor」は、機能豊富なPDF編集アプリ。テキストボックスなどのコメントツールは、色のバリエーションがあらかじめ用意されているので、選択するだけで色を変えられる（**図7**）。表示されるバリエーションは「コメントスタイルパレット」から変更でき、よく使う色合いを登録することもできる（**図8**）。

コメントツールが充実した無料アプリを使う

PDF

PDFエクスチェンジエディター
PDF-XChange Editor
提供：Tracker Software Products
https://www.tracker-software.com/product/pdf-xchange-editor

無料

図7 コメントを付けるときは「コメント」タブを選択する（❶）。図形のツールにカーソルを合わせてマウスボタンを押したままにすると、書式のバリエーションが表示されるので手動で設定を変更する必要がない（❷❸）

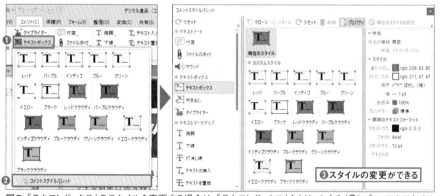

図8 「テキストボックス」のスタイルを変更する場合は、「テキストボックス」をクリックする（❶）。「コメントスタイルパレット」を選択すると（❷）、選択中のスタイルを変更できる（❸）

複数のコメントを
まとめて変更する

　たくさんコメントを付けた後で、「コメントの色をすべて変えたい」「コメントをまとめて削除したい」ということもある（**図1**）。Acrobat Readerでは、PDF上のコメントを複数選択できない。しかし、コメントペインなら複数選択が可能だ。最初のコメントをクリックし、最後のコメントを「Shift」キーを押しながらクリックすれば、その間のコメントをすべて選択できる（**図2**）。飛び飛びに選択する場合は、「Ctrl」キーを押しながら選択すればよい。

　選択できたコメントのどれかを右クリックして「プロパティ」を開けば、共通の色などを変更できる（**図3**）。右クリックメニューからは「削除」も選択できる（**図4**）。

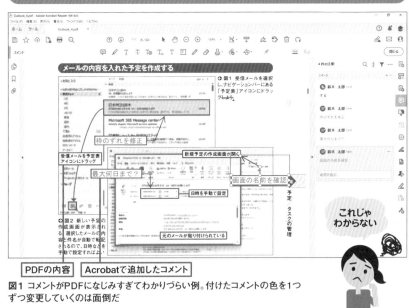

図1 コメントがPDFになじみすぎてわかりづらい例。付けたコメントの色を1つずつ変更していくのは面倒だ

複数のコメントを一括で書式変更

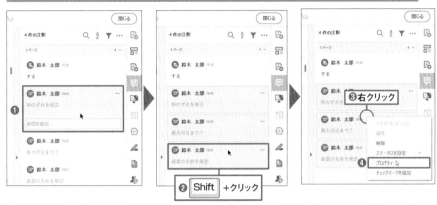

図2 コメントペインで選択する最初のコメントをクリックする（❶）。最後のコメントを「Shift」キーを押しながらクリックする（❷）。両者の間がすべて選択されるので、いずれかを右クリックして「プロパティ」を選ぶ（❸❹）

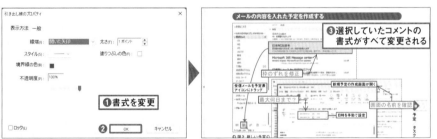

図3 表示されたプロパティの画面で、目立つ書式に変更する（❶❷）。選択していたすべてのコメントの書式が一括で変更される（❸）

不要なコメントをまとめて削除

図4 削除したいコメントをすべて選択する（❶❷）。選択したコメントのいずれかを右クリックして「削除」を選ぶ（❸❹）

修正指示のツールは
わかりやすさ最優先で選択

PDFにコメントを付けて返したら、「指示がわかりづらい」と言われたり、指示を見落とされたりしたことはないだろうか。修正指示やアドバイスは、相手に伝わらなければ意味がない。

コメントツールの先頭にある「ノート注釈」を使う人は多いが、選択していない状態では小さい吹き出しアイコンが表示されるだけで目立たず、どこを指しているのかもわかり

PDF上で目立たないノート注釈にご用心

図1「ノート注釈を追加」を選択し、コメントを付ける位置をクリックする（❶❷）

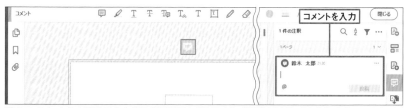

図2 コメントペインに現れる入力欄に修正指示などを入力し、「投稿」をクリックしよう。なお、コメントペインを非表示にしている場合は、図1の操作により入力欄がポップアップ表示されるので、そこで入力する

図3 ノート注釈は、入力後ほかの位置をクリックすると小さな吹き出しアイコンしか表示されなくなる。吹き出しアイコンをクリックするか、画面右側のコメントペインを開けば、コメントの内容がわかる

づらい（**図1～図3**）。

　パソコン文書のきっちりしたフォントや線の上で一番目立つのは手書きかもしれない（**図4**）。しかし、タブレットやタッチペンを使えば手書きは楽だが、マウスで文字は書きづらい。また、手書きの文字はテキストデータとして再利用できないので、修正を反映させるときにかえって手間がかかることもある。

　PDF上で目立ちやすく、対象物を示しやすいのは「引き出し線付きテキストボックス」だ。斜めの矢印が目立ち、入力した文字列はテキストデータとしてコピーできる。ドラッグで作成するとうまく配置できない場合は、クリックで位置を指定するとよい（**図5、図6**）。

手書きは目立つがテキストとしてはコピーできない

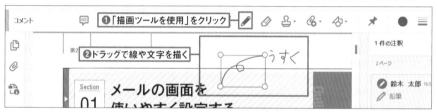

図4「描画ツールを使用」をクリックして（❶）、ドラッグで線を描いていく（❷）。画像やパソコンのテキストとは明らかに違う手書きの線は目立ちやすいが、使い勝手はいまひとつ

引き出し線付きテキストボックスはドラッグよりクリックで作成

図5「描画ツール」をクリックし、「引き出し線付きテキストボックス」を選択する（❶❷）

　　図6 クリックした位置が矢印の先端になる（❶）。マウスを動かしてテキストボックスの配置が決まったら再度クリック（❷）。コメントを入力する（❸）

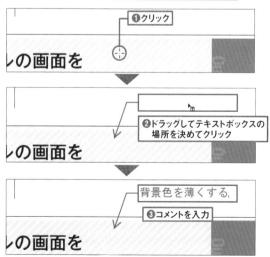

105

　引き出し線付きテキストボックスは、入力した文字数に応じて大きさが自動調整されるため、入力後に位置などの調整が必要になることが多い。変更はドラッグで簡単にできるのだが、ドラッグの開始位置によって動きが変わるので注意が必要だ（図7）。

　文字列の修正には削除、置換、挿入の3種類があり、それぞれにツールが用意されている（図8）。ただし、句読点など小さな文字はツールでは目立たないことがある。また、改行などツールでは指示できないこともある。ツールにこだわらず、文書の校正記号を参考にして、線で手書きするのも手だ（図9〜図11）。

　修正範囲の指定では、四角形などで対象範囲を囲むとわかりやすい。囲んだ範囲に対する修正指示は、別途テキストボックスなどで書き込むと見落としを防げる（図12）。相手がコメントの確認方法を理解している場合は、囲んだ四角形に直接コメントを入力すればひと手間省ける（図13）。

修正するときはカーソルの形に注目

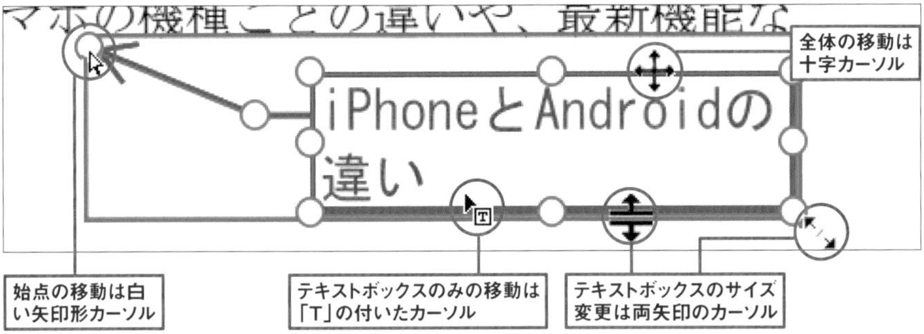

iPhoneとAndroidの違い

全体の移動は十字カーソル

始点の移動は白い矢印形カーソル

テキストボックスのみの移動は「T」の付いたカーソル

テキストボックスのサイズ変更は両矢印のカーソル

図7　「引き出し線付きテキストボックス」をクリックして選択すると、マウスを合わせる位置によってカーソルの形が変わる。ドラッグを始める位置を間違えないようにしよう

文字列の削除・置換・挿入を指示するツール

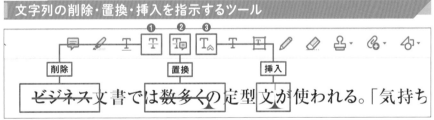

削除　置換　挿入

ビジネス文書では数多くの定型文が使われる。「気持ち

図8　❶の「テキストに取り消し線を引く」は取り消し線を引いた文字列を削除。❷の「置換テキストにノートを追加」は取り消し線を引いた文字列を削除し、指定した文字列に置き換える。❸の「カーソルの位置にテキストを挿入」は指定した位置に文字列を挿入する。なお、これらの機能を使う場合、相手もこれらを理解していないと、うまく伝わらない恐れがある

ツールで難しい指示は手書きも併用

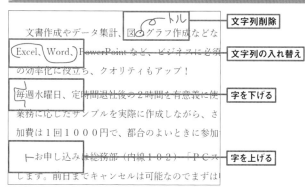

文字列削除

文字列の入れ替え

字を下げる

字を上げる

図9 一般的な校正記号を参考に、手書きで入れた修正指示の例。文字列の削除は取り消し線で指示できるが、句読点や細い文字は手書きのほうがわかりやすいことが多い

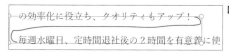

図10 改行をなしにする場合は、行をつなげる線を描く

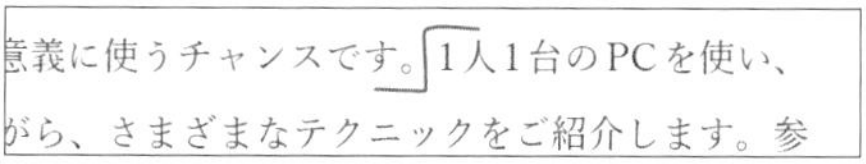

意義に使うチャンスです。1人1台のPCを使い、がら、さまざまなテクニックをご紹介します。参

図11 改行を入れる指示

広い範囲の指定は図形を利用

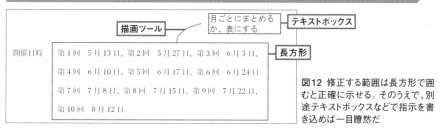

描画ツール

月ごとにまとめるか、表にする → **テキストボックス**

長方形

図12 修正する範囲は長方形で囲むと正確に示せる。そのうえで、別途テキストボックスなどで指示を書き込めば一目瞭然だ

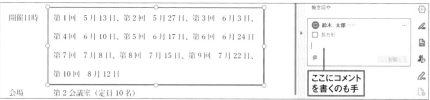

ここにコメントを書くのも手

図13 長方形や線などを描くと、コメントペインに入力欄が現れ、直接コメントを付けることもできる。そこに指示を書き込めば、図12のように複数の要素を追加する必要がなく効率的だ。ただし、相手がコメントの見方を理解していないと、見落とされる恐れもあるので注意しよう

Section
05

「文字列がうまく選べない！」なら線や図形で指示

　PDF内の文字列が選択できない場合、「まったく選択できない」か「うまく選択できない」かによって対処法が異なる。まったく選択できない場合、そのPDFにはテキストデータがないので、OCR機能でテキストを抽出してからでないと文字列は選択できない（156ページ）。テキストデータがあるのに目的の文字列が選択できない原因としては、画面表示の問題と、テキストブロックの順序の問題が多い（**図1、図2**）。

PDF上の文字列は選択が難しいことがある

「）」と「、」が選択されているように見える　　実際に「）、」を選択した場合

図1　「）」を選択したつもりが、画面上は「、」まで選択されているように見える（左）。しかし、「）」と「、」を選択した場合は右図のようになる。画面表示では区別がつかない

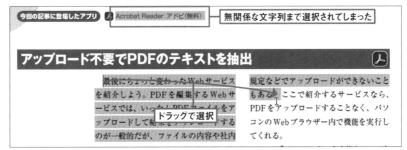

図2　段組みの文章や図版入りの文章は、選択した範囲と無関係な文字列まで含まれてしまったり、本来の順序通りに選択できなかったりする

修正位置をクリックしても思った場所にカーソルが表示されない場合、左右のカーソルキー（「←」「→」）を使って1文字分ずつカーソルを移動するとうまくいくことがある（**図3**）。ただし、図1のように画面表示と実際の選択位置が異なる場合、キーを使ってカーソルを移動しても画面上ではズレていることがある（**図4**）。特に、かっこや句読点など、文字幅や文字間隔が狭い場合にズレが起きやすい。

　うまく選択できないなら、選択するのではなく、線や長方形、マーカーなどで修正箇所を示すのがお勧めだ（**図5**）。

正確な選択はマウスよりキー操作

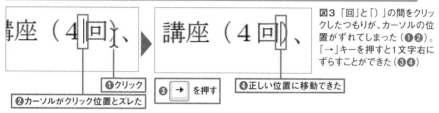

❶クリック
❷カーソルがクリック位置とズレた
❸ → を押す
❹正しい位置に移動できた

図3「回」と「）」の間をクリックしたつもりが、カーソルの位置がずれてしまった（❶❷）。「→」キーを押すと1文字右にずらすことができた（❸❹）

幅の狭い文字はズレが生じる確率が高い

❶ドラッグで選択
❷ Shift + ← を押す
❸戻りすぎた

図4「（4回）」を選択したくてドラッグした（❶）。しかし、「）」の後の「、」まで選択されたように見える。そこで「Shift」+「←」キーを押して1文字分選択を解除してみたが（❷）、画面では戻りすぎたように見える（❸）

うまく選択できないなら線や図形で指示を出す

❶消したい文字の上に線を描く
❷コメントを入力

図5 描画ツールの直線で修正箇所を示す（❶）。右側のコメントペインの入力欄に指示を書き込む（❷）

コメントツールバーには
よく使うツールだけを表示

　PDF上でのチェック作業に慣れてくると、使用するコメントツールが絞られてくるはずだ。使わないツールは非表示にして、使いやすく並べ替えるだけで効率アップが期待できる。コメントツールバーで長方形ツールを選ぶときには、「描画ツール」をクリックした後にメニューから「長方形」を選択するが、コメントツールバーに「長方形」ツールがあればメニュー表示の手間を省ける。使い方に合わせて設定を変えよう（**図1**）。

　それにはコメントツールバーを右クリックして、「コメントツールをカスタマイズ」を選択する（**図2**）。コメントツールの一覧が表示されるので、使用するツールを選んでいく（**図3**）。ツールは選択順に並ぶので、左端に表示したいツールから選ぼう。

コメントツールバーの使い勝手はイマイチ

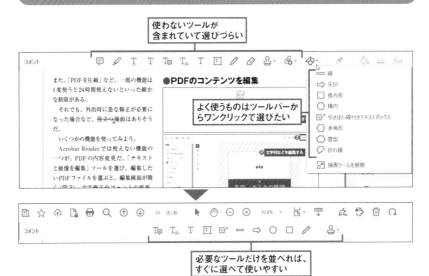

図1 コメントツールバーにはよく使うツールだけを並べたい。「スタンプを追加」や「描画ツール」のように、クリックしてメニューを開かないと必要なツールを選べないのは不便だ

表示するツールをすべて選択したら、設定画面右上のボタンで、区切り線の追加や、順序の並べ替えも可能だ（**図4**）。思い通りに並んだら、「保存」をクリックする。

必要なツールだけを選びやすい順番に並べる

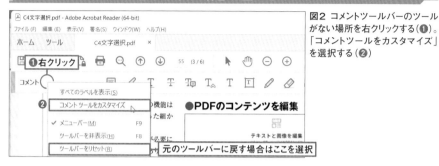

図2 コメントツールバーのツールがない場所を右クリックする（❶）。「コメントツールをカスタマイズ」を選択する（❷）

図3 下の一覧からツールを選択する（❶）。画面右側のボタンをクリックすると、選択しているツールが画面上部の「ツールバーに表示するツール」欄に追加される（❷）

図4 図3の操作を繰り返して思い通りのツールバーを作成する（❶）。画面右上のボタンで、ツールの並べ替えや区切り線の挿入、削除もできる。最後に「保存」を押す（❷）

Section 07 コメントだけをファイルに保存し送受信の容量を節約

　チェック後のPDFファイルをメールに添付して送りたいのに、容量オーバーで送れないことがある。チェックの依頼者が元のPDFファイルを持っているなら、追加したコメントだけをファイルに書き出して送れば、送信ファイルの容量を最小限にできる（**図1**）。コメントファイルを受け取った依頼者が、元のPDFファイルと合体させれば、どんなチェックが入ったのかを確認できるというわけだ。

コメントのみ保存すればメールで楽々送信

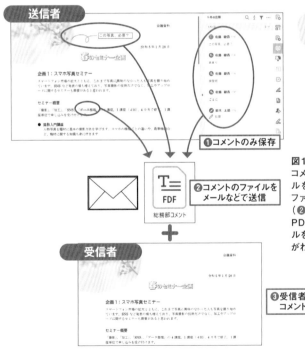

PDFは重すぎて送れない

❶コメントのみ保存

❷コメントのファイルをメールなどで送信

❸受信者が手元のPDFとコメントファイルを合体

図1 Acrobat Readerでは、コメントのみを抽出したファイルを作成できる（❶）。そのファイルをメールなどで送信（❷）。受信者が手元にあるPDFと受信したコメントファイルを合体させれば、修正指示がわかる（❸）

まず送信者がコメントを付けたPDFをAcrobat Readerで開き、コメント情報をファイルに書き出す（**図2**）。コメントのファイルを受け取った人は、それを元のPDFに統合すれば、コメント付きPDFを確認できる（**図3**）。

コメント情報をファイルに書き出す

図2 コメントペインで「…」をクリックし、「すべてをデータファイルに書き出し」からコメントトファイルを書き出す（❶❷）。それをメールで送る

受け取ったコメント情報をファイルに統合

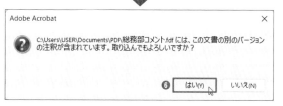

図3 Acrobat Readerで元のPDFファイルを開く（❶）。コメントペインで「…」をクリックし、「データファイルの取り込み」を選択する（❷❸）。受信したコメントのファイルを開き（❹❺）、確認画面で「はい」を選ぶと、PDFにコメントが読み込まれる（❻）

4章

校正作業は「コメント」でペーパーレス

Section
08

複数人からのコメントを
1つのPDFにまとめて表示

　PDFのチェックを複数人で行う場合、1つのPDFファイルを順番に回してチェックすると回覧に時間がかかる。全員にPDFを配布してチェックしてもらいたいが、複数のファイルに分かれたコメントをどうやってまとめるか悩ましい。実は、複数のPDFファイルからコメントだけを1つのPDFに集める方法がある（**図1**）。

　コメントが入ったPDFファイルの1つを開き、「データファイルの取り込み」を選択する

バラバラのチェックが入ったPDFを1つにまとめる

A氏のチェック

図1 同じPDFを複数の人に送信してチェックしてもらうと、バラバラのコメントが付いたPDFが複数できてしまう。1つに統合してから確認すると間違いがない

B氏のチェック

コメントを合体

C氏のチェック

これなら
修正漏れも
防げそう

（**図2**）。チェック済みのPDFを選択すればコメントを取り込める（**図3**）。

　コメントが多いと、「部長のコメントだけ先に確認したい」ということもあるだろう。コメントペインのフィルター機能を使えば、条件に合うコメントだけに絞り込んで表示できる（**図4**）。ほかの人のコメントを再表示させるには、図4中央の画面にある「すべてをクリア」を選択すればよい。

複数のPDFからコメントを統合

図2　コメントの入ったファイル（①）。コメントペインを開いて右上の「…」をクリックし（②）、「データファイルの取り込み」を選択する（③）

図3　同じ文書で、異なる注釈が入ったPDFファイルを選択すると、注釈のみが文書上に追加される（①②）

特定の人のコメントのみ表示

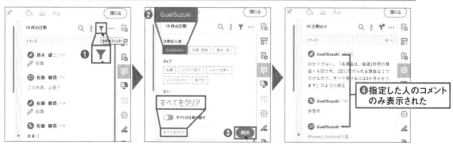

図4　コメントペインの「注釈をフィルター」をクリック（①）。「注釈記入者」で名前を選択して「適用」を押すと（②③）、選択した記入者のコメントだけが表示される（④）。元に戻すには、中央の画面で「すべてをクリア」を選ぶ

返信をワンクリックで済ませる チェックボックスを表示

　PDFは回覧したり、何度もやり取りを行って意見を調整したりする際にも利用される。個々のコメントに対しては返信を入力できるが、コメントが多いと「OK」と返信するだけでも結構な手間だ。返信欄にチェックボックスを表示させれば、確認したことをワンクリックで伝えることができる（**図1**）。

　チェックボックスを表示するかどうかは、「注釈の環境設定」で指定する（**図2、図3**）。

返信は「OK」よりチェックマークで簡単に

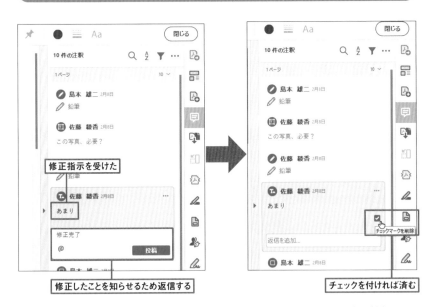

図1 PDFのやり取りでは、コメントに対して「了解」や「完了」といった返信をすることが多い（左）。コメントの右上にある「…」をクリックし、「ステータスを設定」→「承認」などと選ぶ方法もあるが、かなり面倒だ。コメント欄にチェックボックスを表示させれば、チェックマークを付けるだけでそのコメントに対処したことを示せる（右）

図3の設定をすると、すべてのコメントにチェックボックスが表示され、クリックでチェックマークが付くようになる。

　特定のコメントにだけチェックマークを付ける場合は、そのコメントの「…」から「チェックマークを追加」を選べばよい（**図4**）。

コメントペインのコメントにチェックボックスを表示

図2 コメントにチェックボックスを表示させる。コメントペイン上端の「…」をクリックし（❶）、「注釈の環境設定」を選択する（❷）

図3 「注釈メモにチェックボックスを表示」をオンにして「OK」をクリックする（❶❷）。これで図1右のように、コメント欄にチェックボックスが表示されるようになる

図4 図3の設定をしていない場合でも、特定のコメントにチェックマークを付ける方法がある。それにはコメント欄の「…」をクリックし（❶）、「チェックマークを追加」を選択する（❷）

チェックが済んだら
スタンプや電子印鑑を押す

　紙の書類では、チェックが済んだことを示すために名前や日付の入ったゴム印を押すのが当たり前の光景だった。紙からPDFに変わっても、その習慣を残している人もいる。また、「承認済」「却下」「極秘」といった印は、その内容や状況を示すためにも必要になることがある。そんなスタンプの押し方を説明しよう。

　既定のスタンプは、コメントツールバーの「スタンプを追加」から選択するだけで押せる

便利なスタンプが標準で用意されている

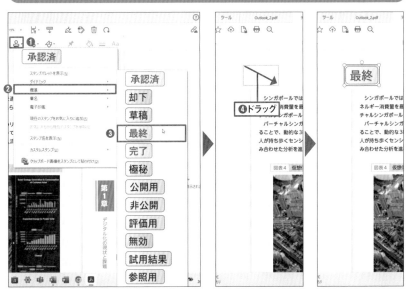

図1 コメントツールバーから「スタンプを追加」を選択する（❶）。ビジネスでよく使うスタンプは「標準」に用意されている（❷）。スタンプを選び（❸）、PDF上でスタンプを押す位置をドラッグすると（❹）、ドラッグした大きさでスタンプが表示される。スタンプはクリックでも押せるが、既定の大きさになってしまうためサイズ変更が必要になることも多い

（**図1**）。スタンプを選んだら、押す場所をドラッグで指定するとサイズも指定できる。

　日付の上下に部署名や名前を入れた従来の日付印や、名字だけの電子印鑑も簡単に作成できる。「電子印鑑」からデザインを選ぶと、初回のみAcrobat Readerの「ユーザー情報」を入力する画面が表示される（**図2、図3**）。ここで入力された情報がスタンプに表示される仕組みだ。次回からはユーザー情報の入力画面は表示されない。「編集」メニューから「環境設定」の「ユーザー情報」で変更が可能だ。

名前入りの日付印を押す

図2 コメントツールバーで「スタンプを追加」をクリック（**❶**）。日付印を押すなら、「電子印鑑」から日付の形式を選択する（**❷❸**）。日付印の下のほうにある円だけのデザインを選ぶと、名字のみの認め印を押せる

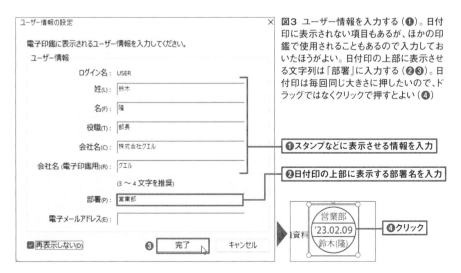

図3 ユーザー情報を入力する（**❶**）。日付印に表示されない項目もあるが、ほかの印鑑で使用されることもあるので入力しておいたほうがよい。日付印の上部に表示させる文字列は「部署」に入力する（**❷❸**）。日付印は毎回同じ大きさに押したいので、ドラッグではなくクリックで押すとよい（**❹**）

119

オリジナルの印鑑を作成し、スタンプに登録

　コメントツールの「スタンプを追加」は便利だが、「印鑑はこだわりの書体で」「もっと別の文字も欲しい」といった要望も出そうだ。そんなときは、印鑑を作成してスタンプに登録すればよい（**図1**）。

　Acrobat Readerでは印鑑の作成はできないが、画像ファイルをスタンプに登録することはできる。事前にスタンプとして使う画像ファイルを準備しておこう。

自社のオリジナルスタンプを使いたい

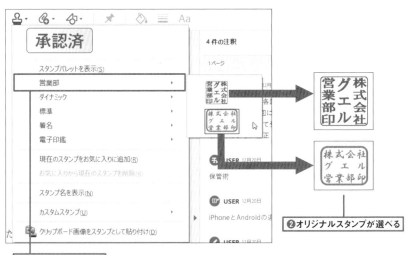

図1 「スタンプを追加」では、既定のスタンプ以外にオリジナルのスタンプを登録できる。「分類」として部署名を登録し、部内で使うスタンプをまとめておけば使いやすい（❶❷）

実際の印鑑やゴム印を紙に押してスキャンした場合、紙の部分が白く残る。文字などに重ねて押せないのは不便だ。印鑑以外の部分が透明になる画像ファイルができれば、実物の印鑑のように押せる。

電子印鑑作成用の無料アプリを使うと、本物の印鑑に近いものを手軽に作れる。ここでは背景を透明にできる「おまかせ電子印鑑 2 FREE」で説明する。アプリを起動し、「新しく印鑑を作成する」を選ぶと、印鑑作成画面が表示される（**図2**）。左側に印鑑の種類が並ぶが、無料で作成できるのは、認印・三文判、データネーム印、ビジネス印、ユーザー印（**図3**）。ほかは有料版の機能だ。文字を入力して書式を設定しよう。

オリジナルの印鑑を作成

おまかせでんしいんかん2フリー
おまかせ電子印鑑 2 FREE
提供：FREECS
https://www.vector.co.jp/soft/winnt/business/se523485.html

無料

対応OS：11／10

図2 上記URLのWebサイトで無料版を入手する。ダウンロードした圧縮ファイルを展開し、中にある「setup.exe」を実行してインストールしよう。その際、警告画面が開いたら、「詳細情報」をクリックして「実行」を選ぶ。アプリを起動したら「新しく印鑑を作成する」をクリック

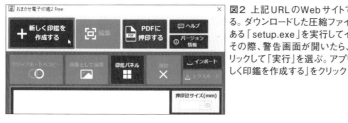

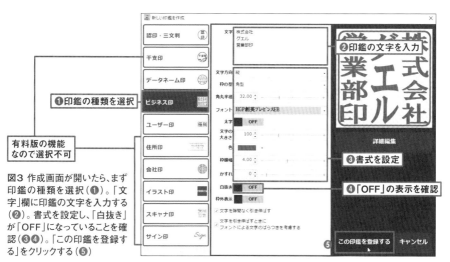

❶印鑑の種類を選択

有料版の機能
なので選択不可

図3 作成画面が開いたら、まず印鑑の種類を選択（❶）。「文字」欄に印鑑の文字を入力する（❷）。書式を設定し、「白抜き」が「OFF」になっていることを確認（❸❹）。「この印鑑を登録する」をクリックする（❺）

❷印鑑の文字を入力

❸書式を設定

❹「OFF」の表示を確認

121

　せっかく作成した印鑑だが、Acrobat Readerでスタンプに登録できるのはPDFファイルのみ。今回使用した「おまかせ電子印鑑」ではPDF出力ができないので、Wordを利用してPDF化する。作成した印鑑をコピーして、Wordの新規文書に貼り付ける（**図4**）。あとは「ファイル」タブの「エクスポート」からPDFファイルで保存すればOKだ。

　なお、有料版Acrobatでは、PDF、JPEG、ビットマップ、Adobe Illustrator、Officeアプリのファイルに対応しているので、「おまかせ電子印鑑」で画像ファイルとして保存すればそのまま読み込める。

　無料アプリを導入しなくても、Wordなどの図形機能を使って印鑑を作ることもできる（**図5**）。ポイントは、円などの外枠とテキストボックスの背景をともに透明に設定すること。文字列は「均等割り付け」にすると、幅いっぱいに割り付けられるので印鑑らしく見える（**図6**）。印鑑の作成後は、WordでPDF出力すればよい。

　準備したPDFファイルをAcrobat Readerのスタンプとして使えるようにするには、コ

Wordで印鑑をPDF化

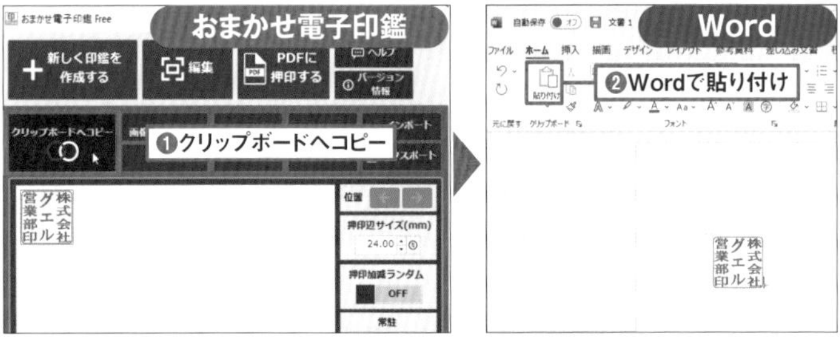

図4　「おまかせ電子印鑑」で作成した印鑑をコピーし（❶）、Wordの新規文書に貼り付ける（❷）。あとは「エクスポート」機能でPDF出力する

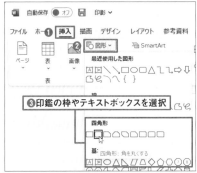

図5　Wordで印鑑を作成する手もある。新規文書を開き、「図形」の四角形や円で枠を描いて、テキストボックスに文字を入力する（❶〜❸）

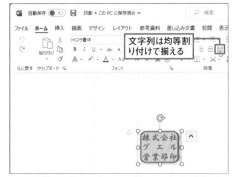

図6　図形やテキストボックスは塗りつぶしを透明にし、「文字列の折り返し」を「四角形」などにして位置を揃える。「均等割り付け」で文字列を両端に揃えるとよい

メントツールバーで「スタンプを追加」から「カスタムスタンプ」の「作成」を選ぶ（**図7**）。スタンプにするPDFファイルを選択して、「分類」と「名前」を指定する（**図8**）。「スタンプを追加」から登録した分類名を選ぶと自作のスタンプが選べる（**図9**）。

オリジナルスタンプをPDFに押す

図7 コメントツールバーを表示させ、「スタンプを追加」を選択（❶）。「カスタムスタンプ」から「作成」を選ぶ（❷❸）

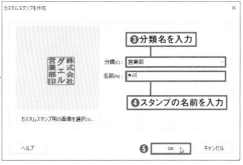

図8 開く画面で「参照」ボタンを押し、スタンプにする画像（PDF形式）を選択する（❶❷）。続いて分類名とスタンプ名を入力して「OK」を押す（❸〜❺）

図9 コメントツールバーを表示させ、「スタンプを追加」を選択（❶）。図8右で指定した分類からスタンプを選ぶ（❷❸）。PDF上でクリックまたはドラッグすればスタンプを押せる

参考資料のファイルを
PDFに添付する

PDFにはファイルを添付することができる。参考文献や地図など、コメントと一緒に相手に提示したい資料があるときは、必要なファイルを添付しよう。

「新規添付ファイルを追加」から「ファイルを添付」を選んだら、PDF上の関連箇所にアイコンを設定する（**図1**）。添付ファイルを選び、アイコンを選べば設定は完了だ（**図2**）。ただし、アイコンだけでは見る人にわかりづらいので、コメントも付けておこう（**図3**）。

PDFにファイルを添付したい

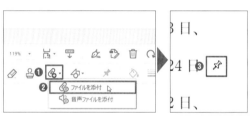

図1 コメントツールバーの「新規添付ファイルを追加」をクリック（❶）。「ファイルを添付」を選び（❷）、添付する位置をクリックする（❸）

図2 添付するファイルを選択する（❶❷）。PDF上に表示するアイコンを選ぶ（❸❹）

図3 アイコンだけでは添付されていることがわかりづらいので、引き出し線付きテキストボックスなどで説明を付けるとより親切だ

第5章

PDFの内容を
追加・修正・流用する

PDF内の文字列や画像の変更はAcrobat
Readerではできない。だが、機能の使い方次
第で対応できることもある。ほかの無料アプリ
なども利用してうまく修正していこう。ひな型に
用意された入力欄への記入や、文字列などを
流用する方法も押さえたい。

Section 01 PDF内のコンテンツ修正は白塗り、上書きで対応

Acrobat Readerでは、PDFのコンテンツを直接変更することができない。ただし、図形を上に重ねて不要な部分を隠すなど、工夫次第で対応できることもある（**図1、図2**）。

文字列を修正するなら、テキストボックスに修正後の文字列を入力し、フォントや文字サイズなどをできるだけ合わせる。テキストボックスの枠線を消し、元の文字列に重ねればよい（**図3～図5**）。

間違いは塗りつぶして「なかったこと」に

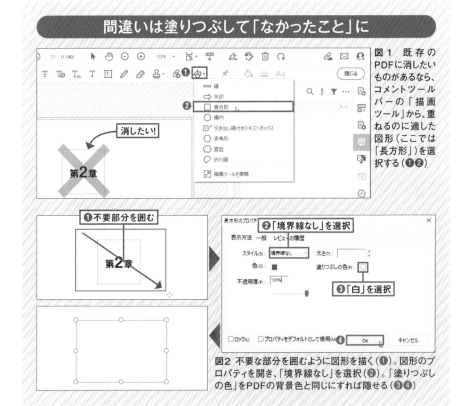

図1　既存のPDFに消したいものがあるなら、コメントツールバーの「描画ツール」から、重ねるのに適した図形（ここでは「長方形」）を選択する（❶❷）

図2　不要な部分を囲むように図形を描く（❶）。図形のプロパティを開き、「境界線なし」を選択（❷）。「塗りつぶしの色」をPDFの背景色と同じにすれば隠せる（❸❹）

印刷した紙を渡す場合は問題ないが、白塗りで隠しただけのPDFをそのまま客先などに渡すと、修正箇所がバレてしまう。その場合は「印刷」機能を使って再度PDFに出力し直すと、白塗りに使ったテキストボックスなどが判別できなくなる［注］。

テキストボックスを使って文字修正

図3 コメントツールバーを表示する（❶）。「テキストボックスを追加」を選択して入力位置を指定する（❷❸）

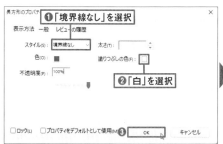

図4 文字列を入力後、上部に表示されるツールパレットで文字サイズなどを元の書式に合わせる（❶❷）。テキストボックスを右クリックして「プロパティ」を選択する（❸❹）

図5 「境界線なし」を選択（❶）。「塗りつぶしの色」をPDFの背景色と同じにして「OK」を押す（❷❸）。テキストボックスの枠線をドラッグして修正前の文字列に重ねると、下にある文字を修正したようになる（❹❺）

［注］データとして完全に消えていない場合もあるので注意。漏洩しては困るような情報を確実に消すには、172ページで解説するような「墨消し」の機能を使う必要がある

Acrobat Readerで PDFに画像を追加

　PDFをチェックしていたら、「画像が間違っている」「画像が足りない」という場面もあるだろう。PDFの内容を変えられないAcrobat Readerでも画像を追加したり、上から貼り付けたりすることはできる（**図1**）。

　まずは貼り付けたい画像をコピーする（**図2**）。画像を作成したのがほかのアプリでも問題ない。

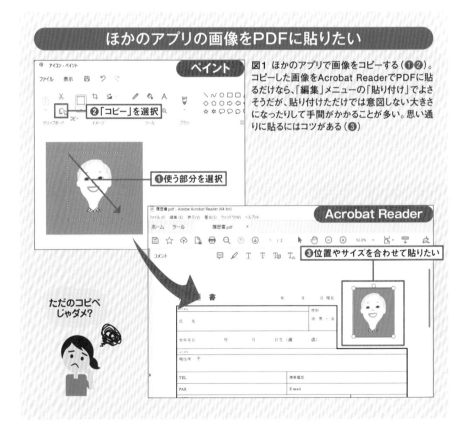

ほかのアプリの画像をPDFに貼りたい

図1　ほかのアプリで画像をコピーする（❶❷）。コピーした画像をAcrobat ReaderでPDFに貼るだけなら、「編集」メニューの「貼り付け」でよさそうだが、貼り付けただけでは意図しない大きさになったりして手間がかかることが多い。思い通りに貼るにはコツがある（❸）

Acrobat Readerを起動して、画像を貼り付けるPDFを開く。通常のコピペであれば、「編集」メニューから「貼り付け」を選ぶのだが、単に貼り付けると大きさや位置の指定がしづらく、画像によっては画面からはみ出すこともある。貼り付けは「スタンプを追加」で行うのが賢い方法だ。コメントツールバーの「スタンプを追加」から「クリップボード画像をスタンプとして貼り付け」を選択し、貼り付ける範囲を選択する（**図3**）。

　貼り付けた画像は、そのままだと簡単に移動できてしまうので、前項と同様に再度PDFに出力し直すなど、処理しておいたほうがよい。

スタンプ機能で図形を追加

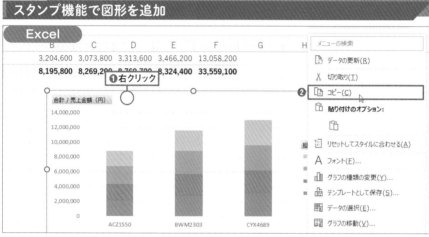

図2 コピー元のアプリ（この例ではExcel）で画像をコピーする（❶❷）

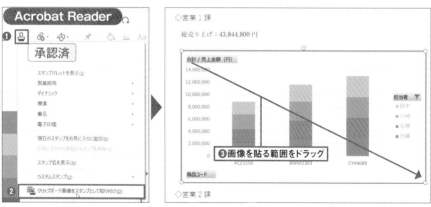

図3 Acrobat Readerのコメントツールバーから「スタンプを追加」をクリックし、「クリップボード画像をスタンプとして貼り付け」を選択する（❶❷）。PDF上で貼り付ける範囲をドラッグする（❸）

Section 03 申し込み書や申請書に文字やチェックマークを入力

自治体や施設がインターネットで配布する申請書も、会社に提出する休暇届も、ひな型をPDFで配布するのが一般的になってきた。入力位置や入力項目を指定したひな型を「フォーム」と呼ぶ。入手したフォームを印刷してボールペンで書き込み、書き間違えて再度ダウンロードし直しているようでは時間の無駄。Acrobat Readerのフォーム入力用ツールを使えばきれいな文書を作成でき、保存すれば次回の申請時にも流用できる。

こんなPDFに入力するなら「入力と署名」で

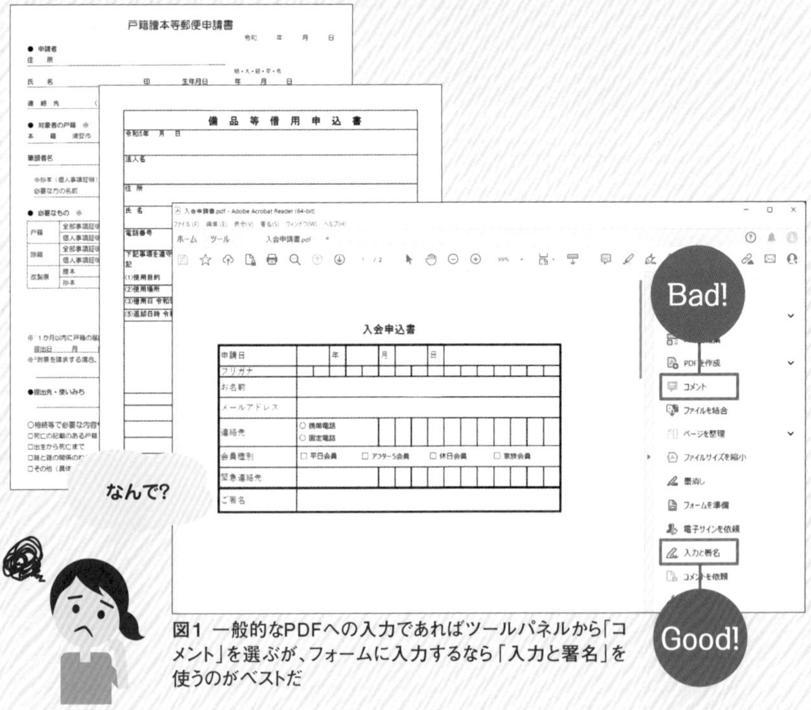

図1 一般的なPDFへの入力であればツールパネルから「コメント」を選ぶが、フォームに入力するなら「入力と署名」を使うのがベストだ

PDFへの入力というとコメントツールを思い浮かべるかもしれないが、フォームへの入力には「入力と署名」ツールを使う（**図1**）。このツールでは、ラジオボタンやチェックボックスのようなフォーム特有の機能を指定しやすい。さらに次項で説明する「署名」機能を使えば、入力済みのデータを改ざんから守ることもできる。

「入力と署名」ツールの使い方を説明する前に、入力が必要なフォームをAcrobat Readerで開いてみよう。実はフォームには2種類あり、入力方法が異なる。入力すべき欄が水色にハイライト表示されるなら「インタラクティブフォーム」、ハイライト表示がなければ「フラットフォーム」（**図2**）。「入力と署名」ツールを使うのは、枠しか表示されないフラットフォームだけだ。インタラクティブフォームについては136ページで説明する。

ツールパネルで「入力と署名」を選んでツールを起動しよう（**図3**）。「入力と署名」を選ぶと自動的に「テキストを追加」が選択され、文字入力が可能な状態になる。

入力前に「インタラクティブ」か「フラット」かをチェック

図2 フォームのPDFをAcrobat Readerで開く。水色のハイライト表示があればインタラクティブフォーム、なければフラットフォームだ

こんな表示があるならインタラクティブフォームなので136ページへ

「入力と署名」ツールを起動

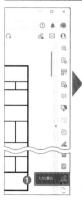

❷「入力と署名」ツールバーが表示された

❸カーソルが「Ab」付きになる

図3 ツールパネルで「入力と署名」をクリックして、「入力と署名」ツールバーを表示する（❶❷）。自動的に「テキストを追加」ツールが選択され、カーソルが「Ab」付きになる（❸）

　入力を始めよう。入力枠の目安になる水色の長方形を確認しながら、入力開始位置をクリックする（**図4**）。入力後、入力欄に合わせて文字サイズやテキストボックスの位置を調整する（**図5**）。フォントの変更はできないが、ツールバーの「色を変更」ボタンで文字色の変更は可能だ。「Tab」キーを押すと次の入力欄に移動できる（**図6**）。

　フォームではフリガナや番号などを1文字ずつ区切られた枠に入力することも多い。区切られた枠内にピタリと入力するには、入力後に「入力枠種別の切り替え」をクリックする（**図7**）。入力枠に合うように、テキスト枠の長さや位置、文字サイズを調整する。

　選択肢から該当する項目を選ぶラジオボタンやチェックボックスもフォームには付きものだ。「入力と署名」ツールバーには、ラジオボタン用の「点を追加」、チェックボックス用の「チェックマークを追加」が用意されているので、選びたい枠の近くをクリックするだけできれいに入力できる（**図8、図9**）。

「テキストを追加」ツールで入力欄に文字入力

図4　マウスカーソルを合わせると入力欄が自動認識され、入力の目安となる水色の長方形が表示される。入力欄に合わせてクリックすると（❶）、テキストボックスが表示されるので文字を入力する（❷）

図5　テキストボックスの上に表示されるミニツールバーで文字サイズの調整や入力のキャンセルができる。テキストボックスの外枠をドラッグして移動することも可能だ

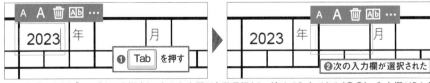

図6　入力できたら「Tab」キーを押すと、次の入力欄が自動選択され、続けて入力できる（❶❷）。入力欄がうまく選択できない場合は、いったん選択を解除して入力欄をクリックする。入力を終えるには「Esc」キーを押す

区切られた枠内に正確に入力

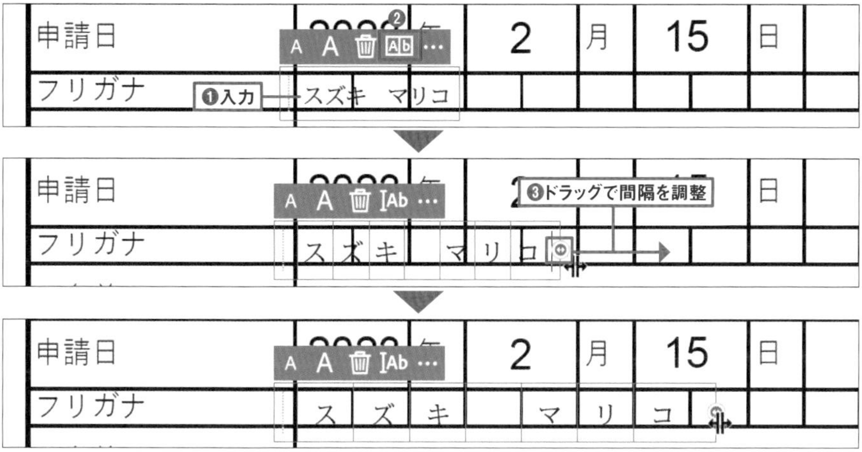

図7 文字列を入力する（❶）。「入力枠種別の切り替え」をクリックすると、1文字ごとに枠線が表示される（❷）。テキストボックスの右端中央に表示されるボタンをドラッグして、入力欄に合うように間隔を調整する（❸）

ラジオボタンやチェックボックスを選択

図8 「点を追加」ツールを選択する（❶）。選択するラジオボタンの近くをクリックすると（❷）、ラジオボタンが黒塗りになる

図9 「チェックマークを追加」ツールを選択する（❶）。選択するチェックボックスの近くをクリックすると（❷）、チェックマークが付く

入力済みの情報を「署名」でロック

　前項では、申請書などに入力する際、「コメント」ツールではなく、「入力と署名」ツールを使うと解説した。チェックボックスなど特殊なフィールドに入力するためのツールが揃っているのが大きな理由だが、それだけではない。「入力と署名」というツール名からもわかるように、署名が大きなポイントになっている。「署名」機能で署名を付けたPDFは、それ以前に入力したデータが改ざんできないようにロックできるのだ（**図1**）。

単なる文字ではない「署名」

図1　「入力と署名」の「自分で署名」を使って署名をする（**❶**）。ファイルを保存すると、「入力と署名」機能で入力したデータが変更できなくなる（**❷❸**）

え!? そんな
機能があるの?

署名後でも追記は可能だが、入力済みのデータは変更できなくなる。「コメント」ツールで入力したデータは署名後でもロックされず、変更が可能だ。大事な書類は「入力と署名」ツールで入力し、最後に署名するよう心がけよう。

　署名は「タイプ」「手書き」「画像」の3種類から選択可能だ。「タイプ」を選択した場合は氏名を入力し、フォントを選択する（**図2、図3**）。署名する位置をクリックで選択すると、青い枠が表示され、右下隅にあるハンドルをドラッグすれば署名のサイズを変更できる。タッチパネル搭載の機器であれば、「手書き」を選んで署名を手書きするとより安心だ。「画像」を選択すると、手書きの署名をスキャンした画像などを貼り込める。

入力の最後は署名で締める

図2「入力と署名」ツールバーにある「自分で署名」から「署名を追加」を選択する（**❶❷**）

図3「タイプ」「手書き」「画像」から署名の種類を選択する（**❶**）。「タイプ」を選択した場合は署名を入力し（**❷**）、「スタイルを変更」でフォントを選ぶ（**❸❹**）。「適用」を押して署名欄をクリックすると貼り付けられる（**❺❻**）

入力欄や選択肢が設定された
フォームに入力

　フォームの中には、入力や選択を行うための「フィールド」が設定された「インタラクティブフォーム」がある。Acrobat Readerで開いたとき、入力欄が水色にハイライト表示されればインタラクティブフォームだ。

　例えば、日付の入力欄をクリックするとカレンダーが表示されて日付の選択ができるなど、フィールドごとに設定された機能が実行されるようになっている（**図1**）。フィールドに

フィールドごとの機能を使って入力

図1 日付の入力欄をクリックすると、カレンダーが表示され、選択すれば日付を簡単に入力できる（❶〜❸）。入力する人が楽なだけでなく、日付の書式が揃うことで、後から集計する際も楽になる

よって入力位置や入力方法を制限することもできる。

インタラクティブフォームでは「入力と署名」ツールを選択する必要はない。矢印形の「テキストと画像の選択ツール」を選んで、入力するフィールドを選択するだけで入力を始められる（**図2**）。1つのフィールドを入力したら、「Tab」キーで次のフィールドに移動できる。ラジオボタンやチェックボックスの選択は、クリックすればよい（**図3、図4**）。

入力欄は「Tab」キーで移動

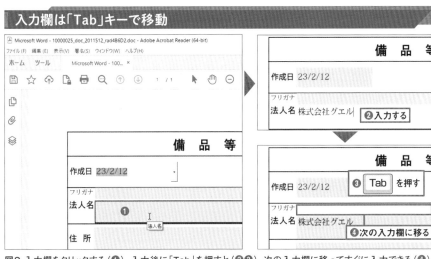

図2 入力欄をクリックする（❶）。入力後に「Tab」を押すと（❷❸）、次の入力欄に移ってすぐに入力できる（❹）

ラジオボタンやチェックボックスはクリックで選択

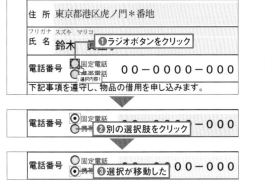

図3 丸い形のラジオボタンは、選択肢の中から1つを選ぶ場合に使われることが多い。該当する選択肢をクリックで選択する（❶）。別の選択肢を選ぶと選択が移動する（❷❸）

図4 チェックボックスをクリックしてチェックを付ける（❶❷）。チェックボックスは該当するものすべてにチェックを付けられる（❸）

PDF内の文字や画像を修正する

Acrobat Readerでは、PDFに入力済みの文字や画像を直接変更することができない。塗りつぶして消したように見せても、開くアプリによっては修正がわかってしまうことがある。また、文章の間にある文字の一部を削除したり、画像を移動したりといった修正は難しい（**図1**）。ここでは文字や画像を修正する3つの方法を紹介しよう。

体裁が多少変わってもよいなら、Wordを使うと文字でも画像でも自由に編集できる。操作は簡単だ。WordでPDFファイルを開くだけで、Word文書に変換され、編集が可

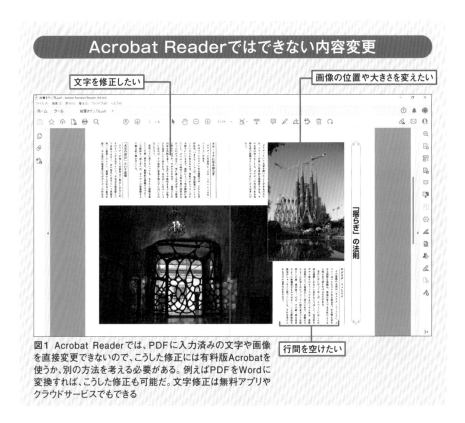

Acrobat Readerではできない内容変更

文字を修正したい

画像の位置や大きさを変えたい

行間を空けたい

図1 Acrobat Readerでは、PDFに入力済みの文字や画像を直接変更できないので、こうした修正には有料版Acrobatを使うか、別の方法を考える必要がある。例えばPDFをWordに変換すれば、こうした修正も可能だ。文字修正は無料アプリやクラウドサービスでもできる

能になる（**図2**）。ただし、Word文書への変換時に、フォントが変わったり、読み取れない文字が置き換わったりするので、修正時によく確認する必要がある（**図3**）。

修正後、そのまま保存するとWord文書になるので、PDFに戻す場合は「ファイル」タブで「エクスポート」を選び、PDFとして保存し直そう。

Word文書に変換して修正

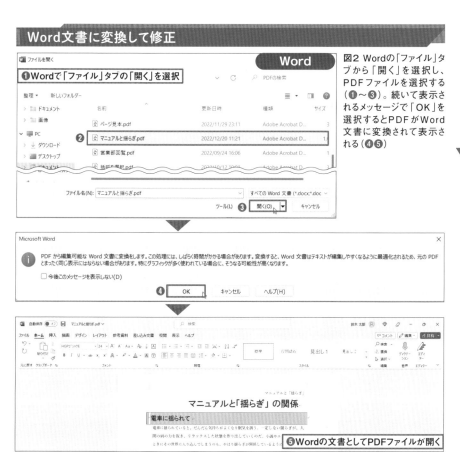

①Wordで「ファイル」タブの「開く」を選択

④OK

⑤Wordの文書としてPDFファイルが開く

図2 Wordの「ファイル」タブから「開く」を選択し、PDFファイルを選択する（①〜③）。続いて表示されるメッセージで「OK」を選択するとPDFがWord文書に変換されて表示される（④⑤）

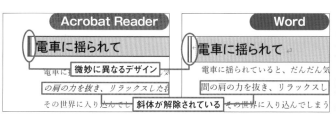

Acrobat Reader

Word

電車に揺られて

電車に揺られて

微妙に異なるデザイン

斜体が解除されている

図3 左が元のPDFファイル、右が変換後のWordファイルだ。フォントが変わっているため、行間や改行位置も変わっている。内容重視であれば、問題ないだろう

　「入力ミスを修正したい」といった場合は、無料アプリ「PDF-XChange Editor」(101ページ)を使う。PDF-XChange EditorはPDF編集アプリであり、機能を制限した無料版でもPDF内の文字を直接修正できる。文字を修正するには、「編集」機能から「テキスト」を選ぶ(**図4**)。「テキスト」以外の編集は有料版でしかできない。修正する文字をクリックすると文字ブロックが選択されるので、再度クリックして編集する(**図5**)。

文字だけの修正ならPDF-XChange Editor

図4 PDF-XChange Editorを起動後、修正するPDFファイルを開く。「ホーム」タブで「編集」メニューから「テキスト」を選択する(❶～❸)

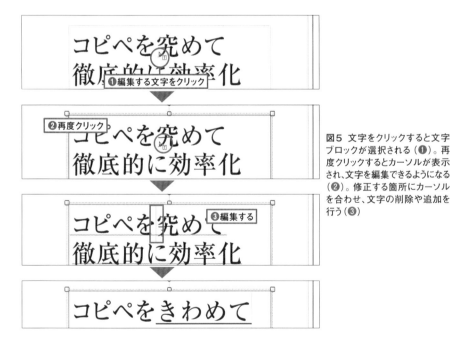

図5 文字をクリックすると文字ブロックが選択される(❶)。再度クリックするとカーソルが表示され、文字を編集できるようになる(❷)。修正する箇所にカーソルを合わせ、文字の削除や追加を行う(❸)

Wordなどのアプリがない場合に役立つのが、PDF編集用のクラウドサービス。ここでは「LightPDF」というサービスを紹介する。単純な文字修正なら対応できる。

　PDF編集サービスでは、いったんファイルをアップロードして作業し、編集後のファイルをダウンロードするのが一般的だ。LightPDFはアカウントを作成しなくてもアップロードと編集はできるが、ダウンロードの段階でIDが必要になるので、最初からアカウントを作成したほうがスムーズだ（**図6**）。PDFの内容修正であれば、「PDFを編集」を選択する。対象となるファイルをアップロードすると編集用のツールが表示され、文字などの変更が可能になる（**図7**）。変更後のファイルをダウンロードすれば作業完了だ（**図8**）。

　なお、文字を修正する場合、元のPDFで使用されているフォントがないと文字デザインが変わってしまう。前後の文字列ごと書き換えるといった工夫も大事だ。

無料で文字修正も可能なクラウドサービス

図6「LightPDF」のサイトを開き、無料アカウントを作成してログインする（❶）。「PDFツール」で「PDFを編集」を選択する（❷❸）

図7 表示される画面で「ファイルをアップロード」を選び、編集するPDFを選択する。PDFをこのウインドウにドラッグしてもよい

図8 PDFファイルが開くと、文字編集用のツールが使えるようになる。必要な修正を行い（❶）、「ダウンロード」をクリックする（❷）

Section

07

作成済みのPDFに
ページ番号や文書名を入れる

　長文のPDFにはページ番号や文書名などを毎ページに表示させたい。本来は、PDFに出力する前に設定しておけばよいが、付け忘れたり、ページ番号がないPDFを受け取ったりした場合は、後から追加すれば問題ない（**図1**）。

　無料アプリ「pdf_as」（85ページ）には、PDFにヘッダーやフッターを追加する機能がある。起動後、開いたウインドウにページ番号を付けたいPDFファイルをドラッグするなど

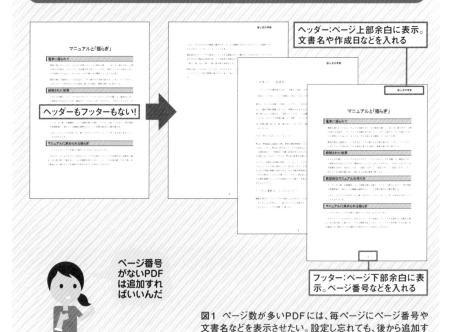

ページ番号
がないPDF
は追加すれ
ばいいんだ

図1 ページ数が多いPDFには、毎ページにページ番号や文書名などを表示させたい。設定し忘れても、後から追加することができる

して追加する（**図2**）。ツールバーから「ヘッダー・フッター設定」を選択すると設定画面が表示される。ページ上部に表示する情報は「ヘッダー」、下部に表示する情報は「フッター」で指定する（**図3**）。総ページ数を入れたり、ページ番号の前後に文字列を追加することもできる。ページ番号以外の文字列は、「付加文字列」として追加する。ページ上部に文書名などを入れるなら「ヘッダー」で指定すればよい。

PDFにヘッダーやフッターを追加

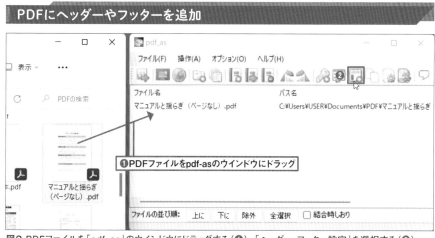

図2 PDFファイルを「pdf_as」のウインドウにドラッグする（❶）。「ヘッダー・フッター設定」を選択する（❷）

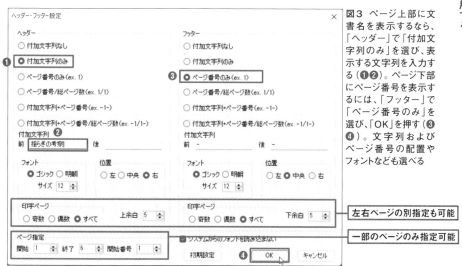

図3 ページ上部に文書名を表示するなら、「ヘッダー」で「付加文字列のみ」を選び、表示する文字列を入力する（❶❷）。ページ下部にページ番号を表示するには、「フッター」で「ページ番号のみ」を選び、「OK」を押す（❸❹）。文字列およびページ番号の配置やフォントなども選べる

ページの追加・入れ替え・分割は「CubePDF」におまかせ

　PDFをページ単位で削除したり入れ替えたりする機能は、Acrobat Readerにはない（**図1**）。ここでは、PDFのページ編集ができる別の無料アプリを使って、簡単にページ単位で編集する方法を紹介する。

　まず使うのは「CubePDF Utility」。92ページではPDFのセキュリティ設定で利用したが、ページ編集も得意なアプリだ。

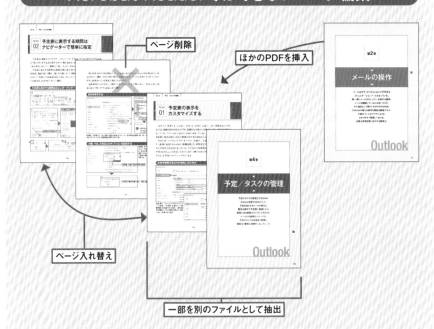

Acrobat Readerではできないページ編集

図1 既存のPDFについて、ページ単位で削除、入れ替え、分割する機能はAcrobat Readerにはない。別の無料アプリやクラウドサービスなど、できる方法を探そう

CubePDF UtilityでPDFファイルを開くと、全ページのサムネイル（縮小版）が表示される（**図2**）。ページを入れ替えるなら、サムネイルをドラッグして順序を入れ替えるだけの簡単操作だ（**図3**）。

CubePDF UtilityでPDFファイルを開く

「編集」タブが自動的に選択される

「開く」をクリックしてファイルを選択

ページ編集のためのツール

図2 「CubePDF Utility」を起動すると表示される「編集」タブには、PDFを編集するツールが並ぶ。「開く」を選んでPDFファイルを開く

ページの順序を入れ替え

❷ドラッグでページを入れ替え

❶入れ替えるページを選択

図3 開いたPDFのページがサムネイルで表示される。ページの移動は、サムネイルをドラッグして順序を入れ替えればOK（❶❷）。複数ページをまとめて入れ替えるなら、最初のページをクリックし、最後のページを「Shift」キーを押しながらクリックする。選択したページのいずれかにカーソルを合わせて、移動先までドラッグすればよい

ページを削除するなら、サムネイルを選択して「Delete」キーを押す（**図4**）。

複数のPDFに分かれている資料をまとめるなら、「挿入」ツールを使う（**図5**）。PDFの先頭か末尾にほかのPDFファイルの内容を挿入したり、選択したページの直後に挿入したりすることもできる。

不要なページを削除

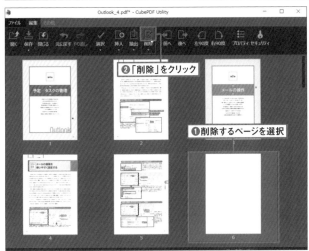

図4 不要なページはクリックなどで選択し（❶）、「削除」をクリックして削除する（❷）

ほかのPDFからページを挿入

図5 ほかのPDFを挿入する場合は、挿入する直前のページを選択して（❶）、「挿入」メニューから「選択位置の後に挿入」を選択する（❷❸）。挿入するファイルを選択すると（❹）、指定した位置に挿入される（❺）

PDF内の一部のページだけを別ファイルとして保存する場合は、必要なページだけを選択後、「抽出」を選択する（**図6**）。

　結合するファイルが多いと、CubePDF Utilityでは何度も同じ操作を繰り返すことになる。そんなときはPDFの結合と分割に特化した「CubePDF Page」を使おう。結合したいPDFファイルをすべて選択し、結合したい順に並べてから結合する（**図7**）。

必要なページだけを抽出

図6 PDFの一部のページを抽出するなら、まず必要なページを選択（❶）。「抽出」メニューから「選択ページを抽出」をクリックする（❷❸）。表示されるファイル保存画面で抽出後のファイル名などを指定して保存する

❶抽出するページを選択

複数ファイルをまとめて結合

キューブPDFページ
CubePDF Page
提供：キューブ・ソフト
https://www.cube-soft.jp/cubepdfpage/

無料

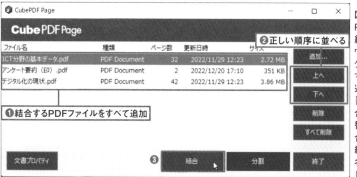

❷正しい順序に並べる

❶結合するPDFファイルをすべて追加

❸

図7 「CubePDF Page」を起動し、結合するファイルをウインドウにドラッグして、すべて追加する（❶）。順番が違う場合は、「上へ」「下へ」ボタンで結合する順序に並べ替える（❷）。「結合」をクリックして結合後のファイル名などを指定する（❸）

PDFをOfficeアプリの形式に
変換して再利用

　変更する箇所が多い場合や、PDFの内容を流用してほかの文書を作成したいときには、使い慣れたWordやExcelで作業したほうが効率が良い。WordならPDFファイルを直接開いてWord形式に変換し編集できるが、ExcelはPDFを直接開くことはできない。

　PDFをExcel形式に変換するには、無料のクラウドサービスを使う方法がある。ここでは「LightPDF」（141ページ）を使用する手順を説明しよう（**図1**）。86ページで紹介した「iLovePDF」でもExcel変換は可能だが、紙をスキャンしただけのPDFのように、

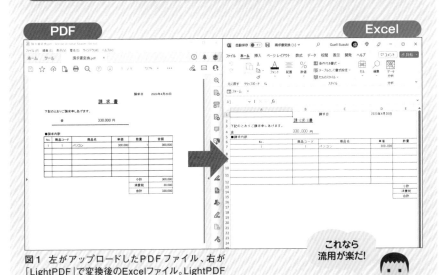

表はExcel形式にすれば自由に変更できる

図1　左がアップロードしたPDFファイル、右が「LightPDF」で変換後のExcelファイル。LightPDFには、テキストデータのないPDFをOCR機能により文字認識して変換する機能もある

これなら
流用が楽だ!

PDFにテキストデータが含まれない場合は有料オプションになってしまう。クラウドサービスは機能に特徴や違いがあるので最適なものを選びたい。

　LightPDFにアクセスして「PDFをExcelに変換」を選ぶ（**図2**）。「ファイルをアップロード」から変換するファイルを選ぶ（**図3**）。OCR（テキスト抽出）が必要かどうかを選択してから変換する（**図4**）。変換が終わったらダウンロードするが、そのままでは編集できないので、編集を有効にして必要な作業を行う（**図5**）。

LightPDFでPDFをExcel形式に変換

図2 LightPDFにアクセスしてログインする（❶）。「PDFツール」から「PDFをExcelに変換」を選択する（❷❸）

図3 「ファイルをアップロード」を押して、変換するPDFファイルを選択しアップロードする。ファイルをこのウインドウにドラッグしてもアップロードできる

図4 OCRが必要かどうかを選択する（❶）。テキストデータ付きのPDFなら「直接変換する」、テキストデータなしのPDFは「OCRで認識する」を選ぶ。「変換」をクリックする（❷）。変換が完了したら表示される「ダウンロード」を押す（❸）

図5 ダウンロードしたファイルをExcelで開くと編集不可になっているので、「編集を有効にする」をクリックして編集する

PDF上の文字列や画像を
ほかのアプリで流用

　入力したり、受け取ったりしたデータをほかの作業に流用できるのは、手書きでなくパソコンを使う大きな利点だ。ここでは、Acrobat ReaderでPDF上のテキストや画像をコピーする方法を4つ紹介する（**図1**）。コピー後はほかのアプリで貼り付けて使える。ただし、コピー制限がかかっているものや、テキストデータのないPDFの場合にはコピーできないこともある。著作権にも注意が必要だ。

PDFの一部だけコピーしたい

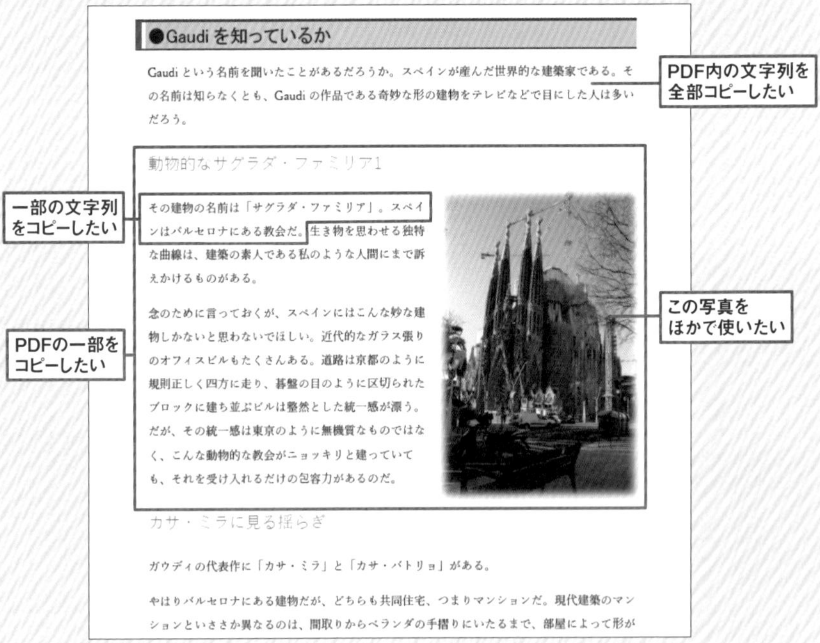

PDF内の文字列を全部コピーしたい

一部の文字列をコピーしたい

PDFの一部をコピーしたい

この写真をほかで使いたい

図1 PDFのデータをコピーする場合は、コピーする部分に応じて操作が異なる

PDF内の一部のテキストや画像を流用する場合は、「テキストと画像の選択ツール」でコピーしたい部分を選択する。選択後に表示されるミニツールバーでコピー操作ができる（**図2、図3**）。選択しているのがテキストの場合は「テキストをコピー」、画像の場合は「画像をコピー」ツールを使えばよい。

一部のテキストをコピー

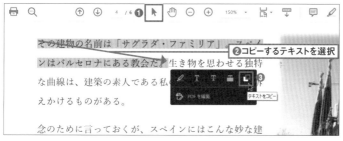

図2 「テキストと画像の選択ツール」を選択する（❶）。コピーするテキストをドラッグで選択（❷）。表示されるミニツールバーで「テキストをコピー」をクリックする（❸）

画像をコピー

図3 「テキストと画像の選択ツール」を選び、画像をクリックして選択する（❶❷）。表示されるミニツールバーで「画像をコピー」をクリックする（❸）

新聞や雑誌をスクラップするようにPDFの一部を見た目通りに切り取るには、「スナップショット」機能を使うのが簡単（**図4、図5**）。ただし画像としてコピーするので、テキストデータは保持されない。

段組みや図版入りのPDFや長文のPDFではテキストを選択しづらい。PDF内のテキストすべてをファイルとして保存すれば、Wordなどで読み込んで使える（**図6**）。

PDFの一部を見た目通りにコピーする

図4　「編集」メニューの「詳細」から「スナップショット」を選択する（**❶**～**❸**）

図5　カーソルが十字形に変わったら、コピーする範囲をドラッグで選択する（**❶**）。確認画面で「OK」をクリックすると、画像がクリップボードにコピーされる（**❷**）

PDFの全テキストデータをファイルに保存する

図6　PDFを開き、「ファイル」メニューから「テキストとして保存」を選択（**❶❷**）。ファイル名などを指定して保存する。なお、元のPDFのレイアウトによってはテキストの順番が前後することも多く、確認と調整は必要になる

第6章

紙の書類もPDF化して再利用

紙の書類はそのまま残しておくと劣化する。保管するには場所も手間もかかるうえ、検索できないので探すのもひと苦労だ。PDF化して役立つデータにしよう。文字認識の機能でテキスト化すれば、データの再利用も可能になる。

スキャナーを使って紙をPDF化
文字認識でテキスト付きに

　紙の書類がゼロというオフィスは、まずないだろう。PDFで送りたいが「紙しかない」こともある。紙の文書をデータ化するなら、スキャナーや複合機を使うときれいに読み取れる（**図1**）。ADF（自動原稿送り装置）の付いたスキャナーや、大量文書を素早く読み取れるドキュメントスキャナーがあればベストだ。

　ただし、スキャンしただけのPDFは画像データであり、そのままでは中の文字列を検

紙の文書はスキャナーでPDF化

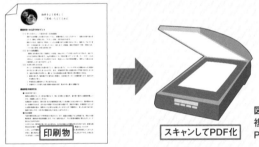

印刷物　**スキャンしてPDF化**

図1　紙の書類はスキャナーや複合機などで読み取ることでPDFとして保存できる

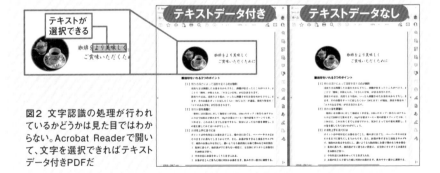

テキストが選択できる

テキストデータ付き　**テキストデータなし**

図2　文字認識の処理が行われているかどうかは見た目ではわからない。Acrobat Readerで開いて、文字を選択できればテキストデータ付きPDFだ

索したり、コピーしたりできない。検索や文字列のコピーを可能にしたければ、文字認識の機能を用いてテキストデータ付きのPDFにする必要がある（**図2**）。

　主要なスキャナーアプリでは、保存形式としてPDFを選択できる。アプリによってはテキストデータ付きPDFに直接保存できるので、ぜひ利用したい。例えば、エプソンのスキャナーに付属している「Epson Scan 2」の場合、「検索可能PDF」として保存する（**図3**）。これだけで、テキストデータ付きPDFファイルとして保存できる。使用しているスキャナーのアプリにこうした機能がないか調べてみよう。

テキストデータ付きPDFに保存できるスキャナーアプリを利用

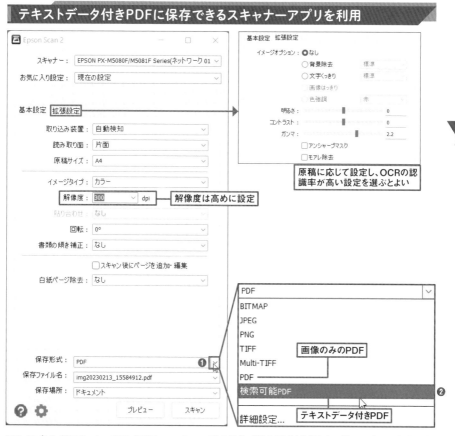

図3 エプソン製スキャナーのアプリ「Epson Scan 2」の場合、「保存形式」を「検索可能PDF」に設定すれば、読み込んだ画像をテキストデータ付きPDFとして保存できる（❶❷）。解像度は300dpi以上の高解像度でスキャンしたほうが、テキストの読み取り精度も上がる。紙の裏の文字が透ける場合や模様のある紙の場合、「拡張設定」の「背景除去」や「モアレ除去」などを利用してクッキリ読み取ろう

Section 02　テキストデータのないPDFを テキスト付きPDFに変換

　紙の文書をスキャナーなどでPDFにした場合、スキャンアプリによってはテキストデータのない画像のみのPDFになる。受け取ったPDFがテキストデータなしの場合もあるだろう。テキストデータのないPDFは、文字修正ができないだけでなく、検索できないなど不便な点が多い。「OCR」（Optical Character Recognition/Reader）と呼ばれる機能を使って、画像からテキストを読み取ってテキストデータ付きPDFに変換しよう。

変換する方法によって結果は異なる

図1　テキストデータのないPDF（左上）を3つの方法で変換してみた。Word（右上）、Googleドライブ（左下）、LightPDF（右下）を見比べてみると、この原稿に限っては、LightPDFの認識率が高いようだった。原稿によって認識率は異なるので、不満があれば別の方法を試してみるとよさそうだ

方法は
1つじゃ
ないんだ

変換する方法は3つある（**図1**）。Wordを使う方法、クラウドストレージを使う方法、Webサービスや無料アプリを使う方法だ。順に説明していこう。

Wordがあるなら、Wordで開くだけで自動的にOCR機能が働き、文字列を編集できるようになる（**図2**）。ただし、OCRの読み取り精度はいまひとつ（**図3**）。Wordで変換ミスを修正する必要がありそうだ。また、Word文書に変換されているので、PDFで保存するには「ファイル」タブで「エクスポート」から再度出力する必要がある。

テキストデータなしPDFをWordで開いて編集

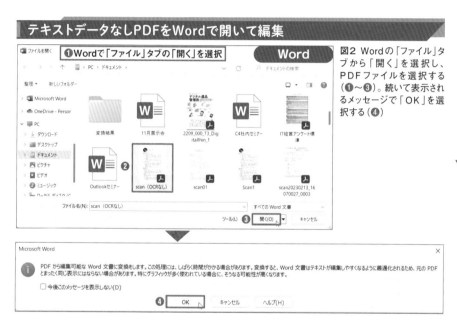

図2 Wordの「ファイル」タブから「開く」を選択し、PDFファイルを選択する（❶～❸）。続いて表示されるメッセージで「OK」を選択する（❹）

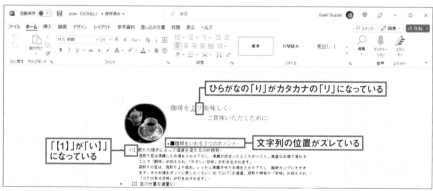

図3 PDFがWord文書に変換されて表示される。多少変換ミスが見受けられるので、確認して修正しよう

　ドキュメント編集機能と連携しているクラウドストレージの中には、OCR機能を持つサービスがある。グーグルのクラウドストレージサービス「Googleドライブ」は、連携する「Googleドキュメント」で開くことでOCR機能が働く（**図4、図5**）。そのまま保存するとGoogleドキュメント形式になるが、PDFとしてダウンロードすることもできる（**図6**）。

Googleドライブにアップし、GoogleドキュメントでOCR

Googleドライブ
https://www.google.com/intl/ja_jp/drive/

テキストデータのないPDFをGoogleドライブで開く

図4　Googleドライブにアクセスし、Googleアカウントでログインする。テキストデータなしのPDFをアップロードして開く

図5　ファイルが開いたら、「Googleドキュメントで開く」を選択する（❶）。Googleドキュメントでファイルが開くと同時に、テキストが選択可能な状態になる（❷）。ただし、画像が消えるなど、見た目を維持できない場合もある

❷文字列が選択できるようになった

図6　パソコンにPDFとして保存するには、「ファイル」メニューの「ダウンロード」から「PDFドキュメント」を選択する（❶〜❸）

無料のWebサービス「LightPDF」（141ページ）でもOCRが可能だ（**図7**）。変換するファイルをアップロードし、出力フォーマットでPDFを選び、OCRを実行する（**図8、図9**）。ダウンロードしたファイルをAcrobat Readerで開けば、テキストデータ付きPDFとして文字列の検索やコピーができる（**図10**）。

LightPDFでOCR

図7「LightPDF」にアクセスしてログインする（❶）。「PDFツール」から「OCR」を選択する（❷❸）

図8「ファイルをアップロード」を押して、変換するPDFファイルを選択しアップロードする。ファイルをこのウインドウにドラッグしてもアップロードできる

図9「出力フォーマット」で「PDF」を選択して「OCR」をクリックする（❶❷）。変換が完了したら表示される「ダウンロード」を押す（❸）

図10 ダウンロードしたファイルをAcrobat Readerで開くと、テキストが選択できるようになっている

スマホカメラで書類を撮影
スキャナーなしでPDF化

　紙しか残っていない文書は、スキャナーがなくてもスマホさえあればPDFに保存できる。スマホで撮影した画像からPDFを作成するので、会議中に書き込んだホワイトボードの内容もPDFにできるなど便利だ。通常のカメラアプリでは、文書を撮ってもゆがんでしまうことが多いが、スキャンアプリを使えばゆがみは自動補正してくれる（**図1**）。PDFファイルとしてクラウドストレージに保存できるアプリが主流だ。

　ここではマイクロソフトの「Microsoft Lens」を使う。保存先はマイクロソフトのクラウドストレージ「OneDrive」。Windowsユーザーであれば簡単に利用でき、Microsoftアカウントがあれば無料で5GBまで利用できる。スキャンアプリはほかにもある。アドビのクラウドストレージ「Document Cloud」を利用しているなら、スキャンアプリも「Adobe Scan」を使うなど、使い勝手を考えて選ぶとよいだろう。

スマホで撮ってきれいなPDFに

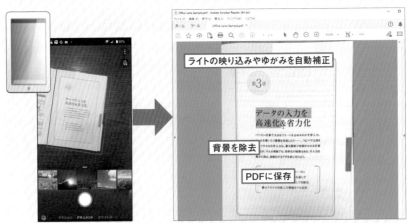

図1 スマホのカメラ機能を使って撮影する（左）。スキャンアプリを使えば、撮った写真が傾いたりゆがんだりしていても、テキストを認識できるPDFとして保存できる（右）

スマホでMicrosoft Lensを起動したら、Microsoftアカウントでサインインする。文書なら「ドキュメント」、ホワイトボードなら「ホワイトボード」を選んで撮影する（**図2**）。保存時にPDFやWordファイルを選べば、自動的に文字認識が実行され、テキストデータ付きPDFとしてOneDriveに保存される。OneDriveにパソコンからアクセスすれば、ダウンロードしてAcrobat Readerで編集できる。

Microsoft Lensで紙の文書をスキャン

 マイクロソフトレンズ
Microsoft Lens
提供：マイクロソフト

無料

図2 スマホで「Microsoft Lens」を入手して起動し、文書を読み込むなら「ドキュメント」を選択（❶）。目安の赤い枠を読み込む範囲に合わせて撮影する（❷❸）。読み込む範囲を確認する（❹）

図3 画像編集画面では、フィルターでの加工や切り抜きなども可能だ（左）。「完了」をタップすると（❶）、ファイル保存画面に移る（右）。「PDF」にチェックを付けて「保存」を押す（❷❸）。なお、左の画面の左上隅にある「←」をタップすると、複数ページの書類を連続撮影できる。その場合は撮影後、右下の「＞」をタップすると左画面に戻れる

横置きにスキャンしたPDFを
一部だけ縦置きにして保存

　ビジネス文書はA4縦が基本だが、表やグラフ、写真など、ページの要素によっては横置きにしたいこともある（**図1**）。

　ファイルの全ページを横置きにする場合は、PDF出力時に、印刷設定などで指定すればよい。横置きで見せたいPDFを縦置きで出力してしまった場合は、Acrobat Readerの表示を回転させることで、正しい向きにできる（**図2**）。

横置きのページだけを90度回転

すべてのページが横置きになったPDF

ページごとに方向を変えたい

図1 一部の写真を横置きにしてPDF化した（上）。写真に合わせてページごとに向きを変えたい（下）

ただし、Acrobat Readerでできるのは、全ページの回転のみ（**図3**）。縦横のページが混在している場合は対応できない。回転は表示だけの設定であり、回転した状態を保存することもできない。通常は、いったんファイルを閉じて再度開くと回転前の状況に戻る。Acrobat Readerの環境設定で「文書を再び開くときに前回のビュー設定を復元」（23ページ）をオンにしている場合のみ、同じパソコンで再度開くと回転した状態が維持される。

Acrobat ReaderでできるのはPDF全体の回転

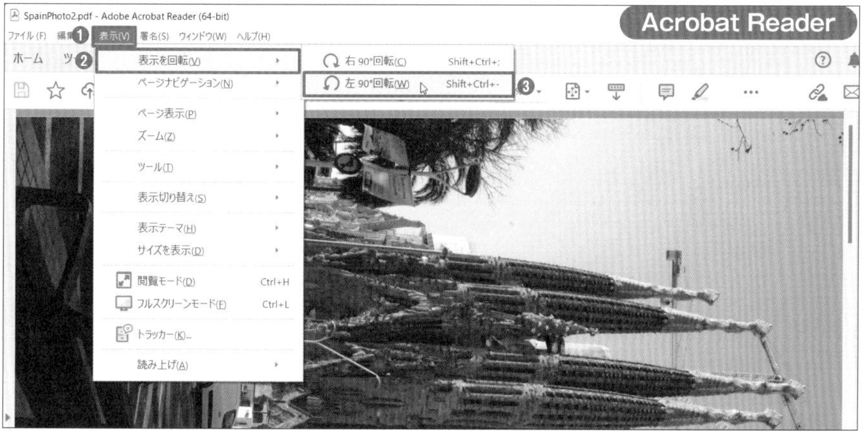

図2 Acrobat ReaderでPDFを開く。回転させる場合は、「表示」メニューから「表示を回転」を選択（❶❷）。「右90°回転」か「左90°回転」を選択する（❸）。なお、「編集」メニューの「ページを回転」は有料版の機能だ

図3 横に倒れていた画像を縦置きに表示できた（上）。ただし、全ページが縦置きになるため、横置きの画像まで縦置きになってしまう（右）

　縦横のページが混在しているファイルを正しく表示させたいときや、回転した状態のまま保存したいときには、別の無料アプリの出番だ。「CubePDF Utility」（92ページ）を使おう。操作は簡単。回転させたいページを選び、「左90度」か「右90度」を選択する（**図4**）。そのままの状態で保存でき、1ページ目を回転させた場合にはファイルのアイコンも向きが変わる（**図5**）。

CubePDF Utilityで指定したページのみ回転

❶回転するページを選択

❸選択していたページのみ回転した

図4「CubePDF Utility」でPDFを開き、回転するページを選択する（❶）。「左90度」または「右90度」を選ぶとそのページだけを回転できる（❷❸）

これは便利だね

図5　1ページ目を回転させた状態で保存すると、エクスプローラーのファイルアイコンも回転する

第7章

PDFの悩みや
トラブルを全面解決

普段からPDFを活用していると、便利さを感じる一方で、思い通りにいかず頭を悩まされる場面もあるだろう。「容量が大きすぎて送れない」「見られると困る情報がある」「簡単に共有したい」といったPDFの悩みを解決していこう。

Section 01 PDFの容量が大きすぎて送信できない

送信しようとしたPDFの容量を見て、手が止まることがある。、プロバイダーにもよるがメールに添付するファイルなら上限5MB程度。PDFの場合は容量オーバーになることが多い。クラウドストレージの共有機能を使う手もあるが、容量を圧縮するツールを使うことで解決できることもある。ここではクラウドサービス「iLovePDF」(86ページ)を使う手順を紹介する。圧縮率を高くするほど解像度が落ちるので、PDFの内容や希望する

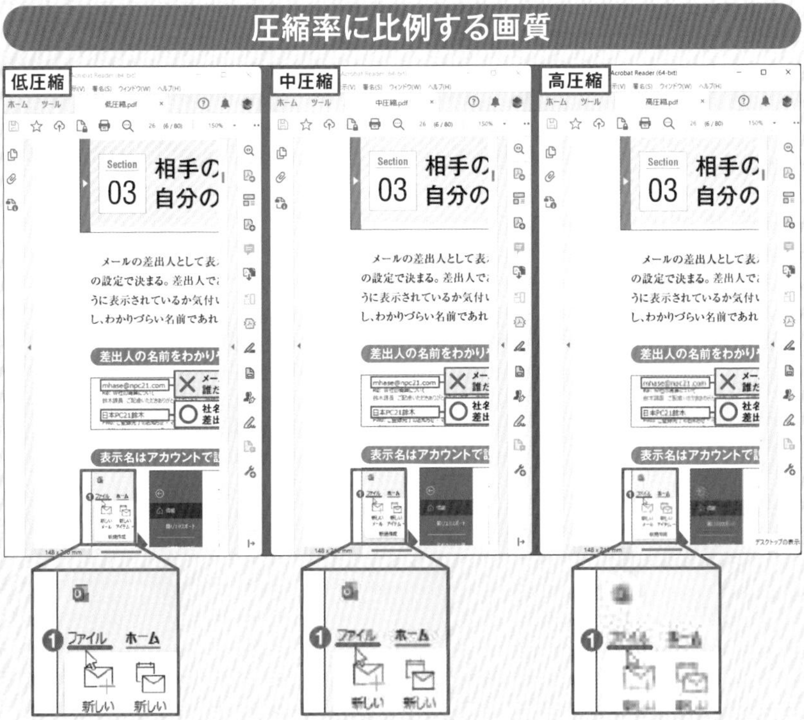

図1 「iLovePDF」で圧縮レベルを変えて圧縮した例。圧縮率によって変わるのは画像部分。文字に関しては高圧縮でも問題ないが、画像は圧縮率が高いと粗くなるのがわかる

容量に応じて選択しよう（**図1**）。

　iLovePDFの「PDF圧縮」をクリックして開くページで、圧縮するPDFファイルを選択する（**図2、図3**）。圧縮レベルは「最も高い圧縮率」「推奨の圧縮」「低圧縮」の3種類から選択できる（**図4**）。操作が完了するとファイルは自動的にダウンロードされるが、ダウンロードが始まらない場合は表示されるボタンからダウンロードする。

　同様のクラウドサービス「LightPDF」にもPDFの圧縮機能はある。ただし、圧縮率が選択できないので、柔軟性が高いのはiLovePDFだ。

iLovePDFでPDFファイルをギュッと圧縮

図2 iLovePDFにアクセスし、「PDF圧縮」を選択する

図3 「PDFファイルを選択」をクリックして圧縮するファイルを選ぶか、ファイルをウインドウにドラッグする

図4 圧縮レベルを3段階から選択する（**❶**）。圧縮率が高いほど画像が粗くなる。「PDF圧縮」をクリックし（**❷**）、圧縮ファイルが自動ダウンロードされない場合は「圧縮されたPDFのダウンロード」を選択する（**❸**）

Section 02 OneDriveやGoogleドライブで PDFを管理したい

　ファイルの共有や複数機器からのアクセスに役立つクラウドストレージ。クラウド上の PDFファイルを編集するために、Webブラウザーでアクセスしたり、いったんダウンロード してAcrobat Readerで編集したりといった手順を踏んでいるなら、もっと良い方法が ある（**図1**）。クラウドストレージとAcrobat Readerを連携させると、クラウド上のPDFファ イルを直接編集できるのだ。

Acrobat Readerからクラウド上のファイルを編集

Webブラウザー

Acrobat Reader

図1 Webブラウザーでクラ ウドストレージにアクセスし て、目当てのファイルをダウ ンロードして編集するのが 従来の方法（上）。一方、ク ラウドとAcrobat Reader を連携させれば、Acrobat Readerから直接クラウド 上のファイルを編集できる ようにできる（下）

使用するクラウドストレージ（ここではGoogleドライブ）をAcrobat Readerに追加する（**図2**）。Googleドライブの認証作業を済ませると、Acrobat Readerにアクセス用のリンクが表示される（**図3、図4**）。編集結果は随時クラウド上のファイルに反映される。

Acrobat Readerにクラウドストレージを追加

図2「ホーム」タブで「ファイルストレージを追加」を選択（❶❷）。使用するストレージ（ここでは「Googleドライブ」）の「追加」をクリックする（❸）

図3 選択したストレージのログイン画面が表示されるので、連携させるアカウントでログインする（❶）。Acrobatからアクセスすることを認証する（❷❸）

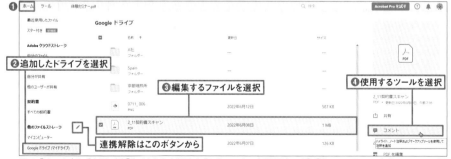

図4「ホーム」タブを選び（❶）、追加したドライブからファイルを選択する（❷❸）。ファイルのダブルクリックで開くこともできるが、右側で使用するツールを選ぶとファイルが開き、選択したツールバーが表示される（❹）

PDFにも紙の文書のような「透かし」を入れたい

　文書に半透明の文字やロゴマークを重ねる「透かし」（**図1**）。紙の文書では透かしを入れることで不正コピーなどの防止に役立てていた。一方、PDFでやり取りする時代になり、透かしの意味合いは変わりつつある。透かしはコンテンツのコピー防止にはならないが、「社外秘」や「サンプル」といった透かしを入れることで、その文書の位置付けを明確にするのに役立つ。

透かしを入れて文書の位置付けを明示

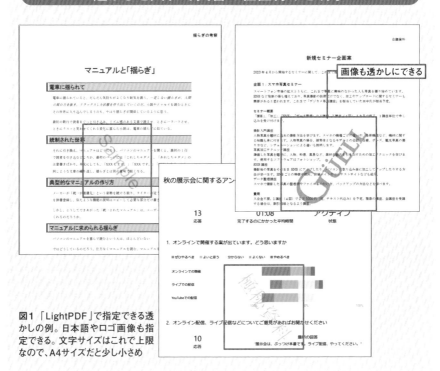

図1「LightPDF」で指定できる透かしの例。日本語やロゴ画像も指定できる。文字サイズはこれで上限なので、A4サイズだと少し小さめ

透かしはAcrobat有料版の機能なので、ここではクラウドサービス「LightPDF」（141ページ）を使って手順を説明する。Webサイトにアクセスして、「PDFツール」から「PDFに透かしを追加」を選択する（**図2、図3**）。透かしを入れるPDFをアップロードし、透かしの文字や形状を指定する（**図4**）。透かしを追加できたらダウンロードする。

LightPDFで透かし入りPDFに変換

図2 LightPDFにアクセスしてログインする（❶）。「PDFツール」から「PDFに透かしを追加」を選択する（❷❸）

図3「ファイルをアップロード」を押して、透かしを入れるPDFファイルを選択しアップロードする。ファイルをこのウインドウにドラッグしてもアップロードできる

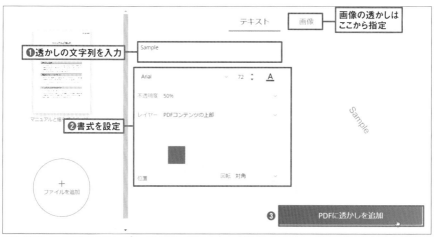

図4 透かしの文字列を入力し（❶）、書式を設定する（❷）。画像の透かしを入れる場合は「画像」タブを選択して画像ファイルを選択する。設定できたら「PDFに透かしを追加」をクリックする（❸）

人に見せられない情報は
「墨消し」でしっかり消したい

「墨消し」とは、見られてはいけない情報を黒く塗りつぶすこと。紙の文書はマジックで塗れば情報を隠せるが、PDFの場合は黒く塗ってもテキスト情報が残るから要注意だ（**図1**）。専用の墨消し機能を使って、しっかり機密情報を消し去る必要がある。

ここで紹介する「PDF24 Creator」（以下、「PDF24」）は、無制限に墨消しができる無料アプリ。提供元のサイトからダウンロードしてインストールしよう。

黒塗りと墨消しは違う

図1 上はAcrobat Readerで黒い長方形を重ねたもの。下は「PDF24」の墨消し機能で消したもの。見た目は似ていても、その結果は大きく異なる

PDF24を起動したら「PDFを墨消しする」を選択して墨消しするファイルを選ぶ（**図2、図3**）。開く画面で、「フリー描画」などのツールを使って消したい部分を塗りつぶし、「PDFを保存」をクリックする（**図4**）。保存したファイルでは、墨消しした部分が見えないほか、ページ全体のテキストが選択もコピーもできず、テキスト出力もできない。

PDF24で隠したい部分を墨消し

PDF24クリエーター
PDF24 Creator
提供:Geek Software
https://tools.pdf24.org/ja/creator

無料

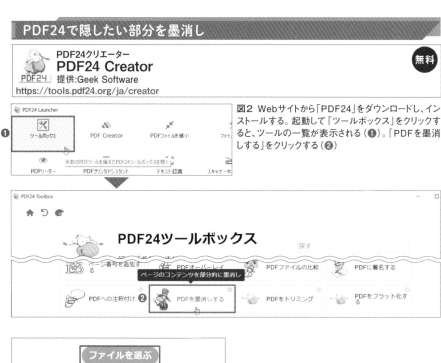

図2 Webサイトから「PDF24」をダウンロードし、インストールする。起動して「ツールボックス」をクリックすると、ツールの一覧が表示される（❶）。「PDFを墨消しする」をクリックする（❷）

図3 「ファイルを選ぶ」を押して、墨消しを入れるPDFファイルを選択する。ファイルをこのウインドウにドラッグしてもよい

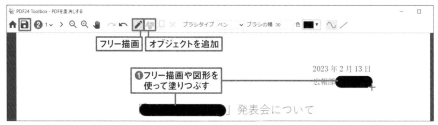

図4 開いた画面の上部に表示されるツールを使って、消したい部分を塗りつぶす（❶）。すべて消したら「PDFを保存」をクリック（❷）。表示される画面でファイル名と保存場所を選択してPDFファイルを保存する

Section **05**

Webブラウザーでも PDFにコメントを付けたい

インターネットから入手する資料の多くがPDFで提供されている。資料として使えそうなPDFは、ダウンロードしてAcrobat Readerで開き、マーカーやコメントを付けて保存するのが一般的だ。Edgeのように、手書き入力ができるWebブラウザーもあるが、手書きだけでは使いづらい。WebブラウザーでもAcrobatのように自由にコメントを付けたいと考えているなら、Acrobatの機能をWebブラウザーに追加する方法がある。

WebブラウザーにAcrobatを合体

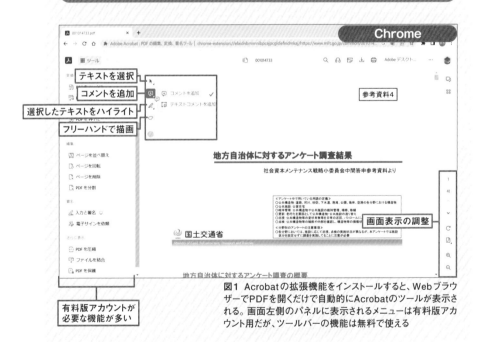

図1 Acrobatの拡張機能をインストールすると、Webブラウザーでタ PDFを開くだけで自動的にAcrobatのツールが表示される。画面左側のパネルに表示されるメニューは有料版アカウント用だが、ツールバーの機能は無料で使える

ChromeやEdgeに「Acrobat拡張機能」を追加すれば、マーカー、手書き、コメントといったAcrobatの機能を使えるようになる（**図1**）。有料版Acrobatのユーザーであれば、WebブラウザーでPDFの変換やページ編集も可能だ。

　Chromeの場合は、「Chromeウェブストア」で「Adobe Acrobat」拡張機能をインストールする（**図2**）。追加した拡張機能は自動的に有効になり、以後、ChromeでPDFを開くとAcrobatのツールパネルやツールバーが表示されるようになる（**図3**）。

ChromeにAcrobat拡張機能をインストール

Chromeウェブストア
https://chrome.google.com/webstore/

図2「Chromeウェブストア」にアクセスして「Adobe Acrobat」を検索（❶）。見つかったら「Chromeに追加」をクリックする（❷）。確認画面で「拡張機能を追加」をクリックしてインストールする（❸）

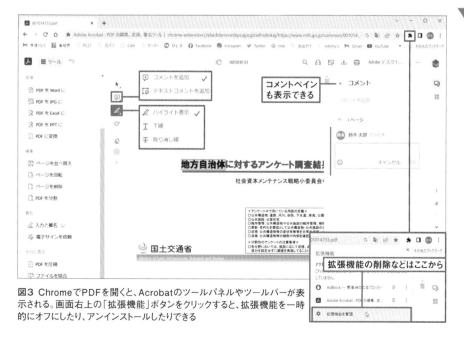

図3 ChromeでPDFを開くと、Acrobatのツールパネルやツールバーが表示される。画面右上の「拡張機能」ボタンをクリックすると、拡張機能を一時的にオフにしたり、アンインストールしたりできる

Section
06

Acrobatの機能を
オンラインでも使いたい

「外出先などAcrobatがない環境でPDFの編集がしたい」「無料版ではできない機能を試してみたい」といったときには、アドビの「Acrobatオンラインサービス」を使ってみよう（**図1**）。Webブラウザーでアクセスして使うサービスだ。

PDFの閲覧やコメント、署名などの機能を無制限に使えるほか、Acrobat Readerでは制限されていて使えない、PDFの作成やページの入れ替えなども試せる。

Acrobatの機能が使えるオンラインサービス

図1「Acrobatオンラインサービス」では、有料のAcrobatユーザーであればすべての機能を利用できる。無料では利用制限も多いが、コメント機能などは無制限に使える

Webサイトにアクセスしたら、無料のAdobeアカウントを作成してログインする（**図2**）。無料アカウントでは制限も多いが（**図3**）、WebブラウザーさえあればPDFのチェックや編集ができるのは便利だ。「入力と署名」機能も無制限に使えるので、申請書の入力などに利用できる。有料版Acrobatのユーザーなら全機能を無制限に使えるので、使わない手はない。

Acrobatオンラインサービスにログイン

Acrobatオンラインサービス
https://www.adobe.com/jp/acrobat/online.html

アカウントを選択してログイン

図2 Acrobatオンラインサービスにアクセスしたらログインする。初回は「アドビでログイン」をクリックすれば無料アカウントを作成できる

PDFのファイルサイズ	100MB以下。「PDFをWordに変換」および「PDFをPPTに変換」は200MB以下、「PDFを圧縮」は2GB以下。
ページ編集ツールの最大ページ数	500ページ。「PDFを分割」は1GBおよび1500ページ以下。「PDFを結合」は500ページ以下のファイルを100個以下、合計1500ページ以下。「PDFページを挿入」は1500ページ以下、挿入する各ファイルのページ数は500ページ以下。
パスワードの削除	無料版の「PDFを保護」で設定したパスワードは削除不可。削除にはAdobe Acrobatのサブスクリプションなどが必要。
無料アカウントでのログイン	ファイルへの注釈、フォーム入力、署名の追加は無制限に可能。PDFの内容変更、墨消し、OCRは使用できない。そのほかのプレミアムツールは、1件の処理を完了し、結果を1回ダウンロードできる。1件の処理後24時間使用できないツールや、30日ごとに2件の無料処理を実行できるツールもある

図3 オンラインのサービスなので、ファイル容量やページ数には制限がある。また、無料アカウントの場合は、使えるツールや回数の制限もあるので注意しよう（表は2023年2月時点）

Webサイトにアクセスしたら、画面上部の「編集」「変換」「電子サイン」から目的に応じたツールを選び、表示される機能リストから使う機能を選択する。ここで、いくつかの機能を使ってみよう。

Acrobat Readerのコメントツールに相当するのが、「編集」メニューの「コメントを追加」（**図4**）。ファイルを選ぶと編集画面が開き、ミニツールバーにコメントや署名を追加するためのツールが表示される（**図5**）。編集後のファイルは、アドビが運営する「Adobe Document Cloud」に自動保存される。「ホーム」に戻ると、保存済みのファイル一覧が表示され、ダウンロードや共有が可能だ。

PDFにコメントを追加

図4「編集」から「コメントを追加」を選択する（**①②**）

図5 開く画面でPDFファイルを選択する（**①**）。コメントの編集画面が表示されるので、そこで必要な編集を行う（**②**）。完了したら「ホーム」をクリックすると（**③**）、「Adobe Document Cloud」からコメント付きのファイルをダウンロードできる

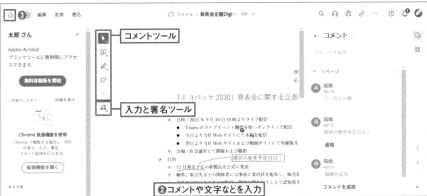

Acrobat Readerでは使えない機能の1つが、PDFからOffice形式への変換だ。Acrobatオンラインサービスなら1回の試用が可能だ。Excel形式に変換する場合は、「変換」から「PDFをExcelに」ツールを選ぶ（**図6**）。PDFファイルを選択してExcel形式に変換する（**図7**）。Acrobatオンラインサービスは、マイクロソフトのWeb版Officeと連携している。Excelに変換したファイルが開くと、AcrobatオンラインサービスでWeb版Excelの機能を使って編集できるのも便利だ（**図8**）。

PDFをExcelファイルに変換

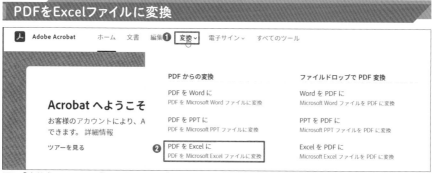

図6「変換」メニューから「PDFをExcelに」を選択する（❶❷）

図7 ファイルを選択する（❶）。開く画面で「XLSXに書き出し」を選択すると変換が始まる（❷）

図8 連携するWeb版Excelが起動してファイルが開き、Excelの機能が使える状態になる。内容を変更する場合は「閲覧」（❶）を「編集」（❷）に切り替えてから作業する

PDFに付いている
トンボを削除したい

　「トンボ」は印刷物の断裁位置を示すマークのことで「トリムマーク」や「タイルマーク」とも呼ばれる。印刷物の場合は実際の用紙サイズより大きな紙に印刷し、仕上がり位置の目安となるトンボを基準に断裁する。印刷時には必要なトンボだが、印刷用のPDFを基にWeb公開用のPDFを作成しようとすると、トンボが邪魔になる。制作者に連絡してトンボなしのPDFを出力してもらえばよいのだが、時間がないときは自力でトンボを削除することも可能だ（**図1**）。有料版Acrobatがなくても対処法はある。

トンボや余白を除去

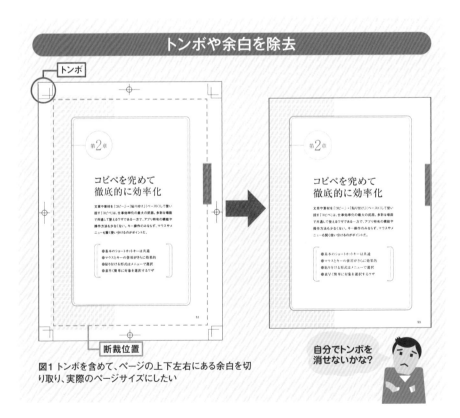

図1 トンボを含めて、ページの上下左右にある余白を切り取り、実際のページサイズにしたい

自分でトンボを
消せないかな?

ここでは無料アプリ「PDF24 Creator」（172ページ）を使って不要な余白をトリミング（切り取り）する。起動後、ツールの一覧から「PDFをトリミング」を選択（**図2**）。PDFファイルを選択して、切り取る余白の寸法を指定する（**図3、図4**）。トンボなら12mmくらいトリミングすれば削除できるだろう。トリミング後のPDFの保存場所とファイル名を指定すれば作業は完了。PDFを開いて正しく切り取れたかどうか確認しよう。

テキストデータ付きのPDFであれば、テキストデータを保持したままトリミングできる。上下左右で異なる寸法を指定できるのも、この方法を使う利点だ。

無料アプリで余白部分を切り落とす

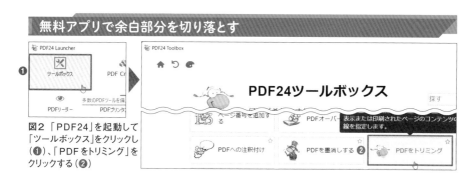

図2「PDF24」を起動して「ツールボックス」をクリックし（❶）、「PDFをトリミング」をクリックする（❷）

図3「ファイルを選択する」を押して、トンボを消したいPDFファイルを選択する。ファイルをこのウインドウにドラッグしてもよい

図4 開いた画面の下部に表示される入力欄で切り取る余白の寸法をミリ単位で指定し（❶）、「トリミング」をクリック（❷）。表示される画面でファイル名と保存場所を選択してPDFファイルを保存する

プレゼンで使うPDFを
PowerPointのように見せたい

プレゼンといえばPowerPointのスライドショーが主流だが、Acrobat ReaderでもPDFを使ったプレゼンができる。ポイントは、画面表示とページめくりの効果設定だ。

プレゼンでは、余分な情報を極力なくしたい。ツールバーやツールパネルは非表示にして、画面いっぱいにPDFの内容が表示される「フルスクリーンモード」を使う（**図1**、**図2**）。スライドショーのように見せるためには、ページをめくるときに左から右に移動するな

PDFをスライドショーのように見せる

これは
見づらいわね

図1　ツールパネルやツールバーなどが表示されたままの画面では、内容に集中できない。ページをめくる際も、ツールバーで操作していたのではもたついてしまう

Good!

図2　「フルスクリーンモード」にすれば、画面をスッキリ表示できる。次のページを表示するにはクリックすればよい。ページ切り替えの効果を使えば、次のページが左から右へスライドインするといった動きを付けられる。一定時間ごとに次のページに切り替わる自動表示の設定も可能だ

どのアニメーション効果を加える「ページ効果」を設定しておこう。

　プレゼンの前に、フルスクリーンモードの動作とページ効果を設定する（**図3、図4**）。プレゼンを始めるときには、「表示」メニューから「フルスクリーンモード」を選択する（**図5**）。

　フルスクリーンモードではツールバーが表示されないので、ページめくりはマウスのクリックか「→」キー、前のページに戻るには右クリックか「←」キーを使う。このとき、指定したページ効果が適用される。元の画面表示に戻すには「Esc」キーを押す。

　実際のプレゼン前に予行演習をしておこう。

フルスクリーンの設定を変更

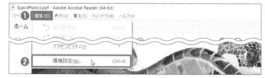

図3 Acrobat ReaderでPDFを開いたら、「編集」メニューから「環境設定」を選択する（❶❷）

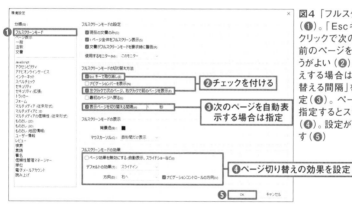

図4 「フルスクリーンモード」を選択（❶）。「Escキーで取り消し」と「左クリックで次のページ、右クリックで前のページを表示」はオンにしたほうがよい（❷）。ページを自動切り替えする場合は、「表示ページを切り替える間隔」をオンにして秒数を設定（❸）。ページ切り替えの効果を指定するとスライドショーらしくなる（❹）。設定が終わったら「OK」を押す（❺）

フルスクリーン表示に切り替え

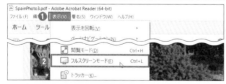

図5 「表示」メニューから「フルスクリーンモード」を選択すると（❶❷）、フルスクリーンモードに切り替わる（❸）。「Ctrl」+「L」キーでの切り替えも可能だ。元の表示に戻すには「Esc」キーあるいは再度「Ctrl」+「L」キーを押す

Section 09 PDFが文字化けして読めない、流用できない

　PDFを開くと、本来とはまったく違う文字が表示されることがある（**図1**）。「文字化け」と呼ばれる現象だ。また、正常に表示されているPDFでも、文字列をコピペすると化けることもある（**図2**）。

　文字化けの原因はさまざまだ。Webブラウザーなどで開いているなら、まずはAcrobatで開き直してみよう。無料版でも有料版でもかまわない。それだけで正しく表

開いたら読めない、コピペしたら化けた

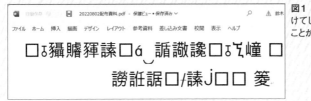

図1 開いたPDFの文字が化けてしまってまったく読めないことがある

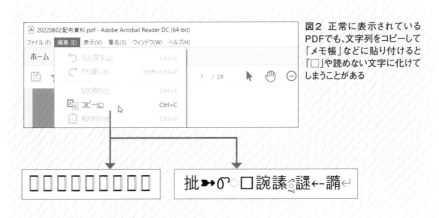

図2 正常に表示されているPDFでも、文字列をコピーして「メモ帳」などに貼り付けると「□」や読めない文字に化けてしまうことがある

示されることも多い。

それでダメなら、PDFで使用しているフォントの情報が埋め込まれているか確認する（**図3**）。図3右図のように表示されれば問題ないが、フォントがないようであれば、作成者に頼んで出力し直してもらうしかない。

PDF内のフォントデータにエラーがあっても、正しく表示できない。「画像として印刷」オプションを使って出力し直すことも試してみよう（**図4、図5**）。

フォントの埋め込みをチェック

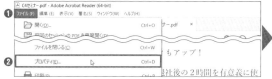

図3 Acrobat ReaderでPDFを開いたら、「ファイル」メニューから「プロパティ」を選択する（❶❷）。開いた画面の「フォント」タブで、PDFに使用されているフォントが埋め込まれていることを確認する（❸❹）

画像として出力し直す

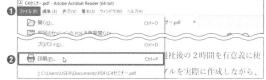

図4 Acrobat ReaderでPDFを開いたら、「ファイル」メニューから「印刷」を選択する（❶❷）

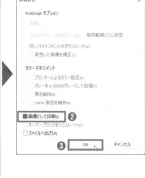

図5 印刷の設定画面で「詳細設定」を選択（❶）。開いた画面で「画像として印刷」にチェックを付け（❷）、「OK」を押す（❸）。この設定でPDFに出力し直すと正しく表示されることがある

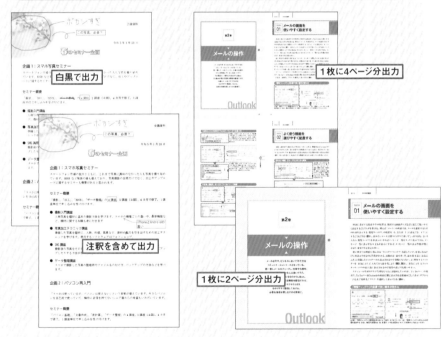

Section 10

出力・印刷の「こうしたい！」を
まとめて解決

PDFに出力するにせよ、紙に印刷するにせよ、ポイントになるのは「印刷」の設定だ。1枚の用紙に複数ページを出力したり、PDFに追加されたコメントを省いて出力したりといったさまざまな印刷方法をまとめて紹介しよう（**図1**）。

Acrobat Readerの「ファイル」メニューから「印刷」を選ぶと表示される「印刷」画面。PDFに出力するなら「Microsoft Print to PDF」などを選ぶところまでは同じだ。

どう出力するかは「印刷」の設定次第

白黒で出力

1枚に4ページ分出力

注釈を含めて出力

1枚に2ページ分出力

図1　紙に印刷したりPDFに出力したりする際は、設定をひと工夫することで、さまざまな用途、希望に合ったものにできる

印刷設定画面での設定は、紙に印刷する場合と変わらない。

　カラーのPDFをグレースケールで出力し直すなら、印刷設定画面で「グレースケール」にチェックを付ける（**図2**）。カラーだとコメントの赤字が見づらい場合などに、グレースケールで出力し直してコメントを付けると効果的だ。

　1枚のページに複数ページをまとめて出力する場合は、「複数」を選び、1枚当たりに出力するページ数を指定する（**図3**）。ページ数の指定は横×縦で行うので、見開き2ページを1枚に印刷する場合は「2×1」と指定する。

グレースケール（白黒）で出力

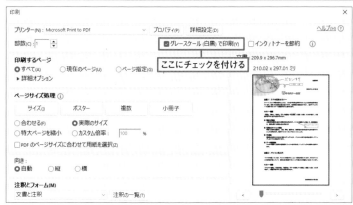

図2　カラー印刷から白黒に切り替える場合は、「グレースケール（白黒）で印刷」にチェックを付ける

複数ページを1枚にまとめて印刷

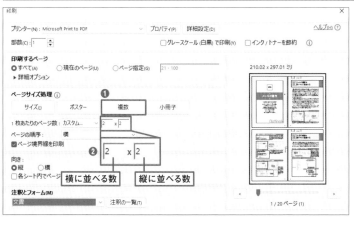

図3　「ページサイズ処理」で「複数」を選択（❶）。「1枚あたりのページ数」で、横×縦の枚数を指定する（❷）

　PDFに追加されたコメントをそのまま出力するかどうかは、「注釈とフォーム」で選択する（**図4**）。コメントも含めて出力する場合は「文書と注釈」、コメントを省いてもともとのPDFのみを出力するなら「文書」を選択する。ほかにも「文書とスタンプ」「フォームフィールドのみ」を選択可能だ。

　PDF出力ではめったにないことだが、ポスター用にする場合など、拡大して複数ページに分けて出力したいときがある。複数ページに分ける場合は「ポスター」を選び、のりしろとして何mm重ねて印刷するかを指定する（**図5**）。重ねる位置の目安となる「タイルマーク」も付けておくと便利だ。

コメントの付いたPDFをコメントなしで出力

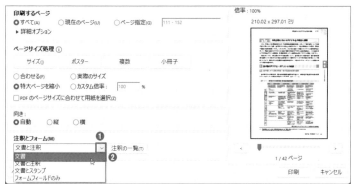

図4　コメントなしで出力するには、「注釈とフォーム」で「文書」を選択する（**❶❷**）。プレビューでコメントが消えたことを確認して出力しよう

大きなポスターは小さい用紙に分割して出力

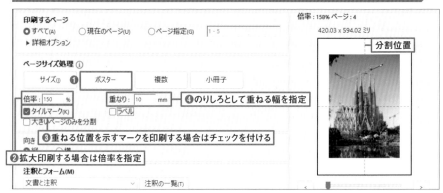

図5　「ページサイズ処理」で「ポスター」を選択する（**❶**）。拡大印刷する場合は倍率を指定し（**❷**）、タイルマークを付ける場合はチェックを付ける（**❸**）。重複して出力し、のりしろにする部分の幅を指定する（**❹**）

「デジタル署名」で
信頼性を証明

PDFは後からでも修正・編集が可能だ。となると、契約書や決算書などの「改ざんがあってはならない文書」では、その信頼性が課題になる。そんなとき力を発揮するのが「デジタル署名」だ。署名後に変更が加えられていないことを証明でき、法的な効力を高められる。

Section 01 契約書もPDF化するなら 押印代わりに「デジタル署名」

　PDFでの書類のやり取りが日常化すると、契約書を交わしたり、申請書に承認をしたりするプロセスも、PDFで完結させたくなる。そのとき課題になるのが、署名やハンコの必要性。「確かに本人が確認した」という証しになるものだが、PDF上でもそれが必要になる。とはいえ、印影を画像として貼り付けるといった安易な方法は禁物だ。ネーム印やゴム印が正式な書類で認められないことがあるように、電子のハンコにも正式な書類で使えるものと使えないものがある。

　Acrobat Readerの「コメント」ツールにある「スタンプを追加」は、従来のハンコを模

電子印鑑や署名はコピーフリー

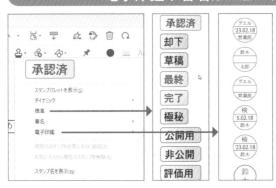

図1 Acrobat Readerでは、「コメント」ツールの「スタンプを追加」で日付印や名前印を押せる。手書きの署名を登録することもできる。ただし、押した印影は画像でありコピーもし放題だ

この印鑑、いつ誰が押したの？

図2 「入力と署名」ツールの「自分で署名」機能で入力できる署名。手書きもでき、PDFを保存すれば書き換えはできないが、スクリーンショットなど画像としてコピーする手立てはある

した印影を簡単に押せる機能（**図1**）。このように、印影を画像として貼り付けたものを「電子印鑑」などと呼ぶが、画像データとしての電子印鑑は簡単にコピーできるため、本人が押印したという証しにはならない。使うのは社内文書など、日常的な文書にとどめておこう。

　署名にしても同じだ。「入力と署名」ツールの「自分で署名」機能では手書きで署名を付けられる（**図2**）。保存後は入力済みのデータを書き換えられないようにする機能もあるが、コピーもできればスクリーンショットも撮れる。

　では、契約書などに使用するハンコをどうするか。役所の印鑑証明があれば印影を本人のものだと確認できるように、デジタルなハンコでも証明があれば信頼性が増すし、法的な効力が高まる。実はPDFには、そのような証明の仕組みがあり、証明付きの署名を「デジタル署名」と呼ぶ。「デジタルサイン」「電子サイン」とも呼ばれる技術だ。

　デジタル署名は、「電子認証局」（以下、「認証局」）などの証明機関が発行する「電子証明書」（「デジタルID」とも呼ぶ）を使って文書に付ける特殊なデータ。実際に署名するわけではない。正式な文書には実印を押して印鑑証明を添付するが、デジタル署名付きの文書と電子証明書を送信すれば、本人からの文書であることを証明できる（**図3**）。文書データでは改ざんが容易にできる点も問題になるが、デジタル署名では「タイムスタンプ」と呼ばれる機能で「〇月×日以降変更されていない」と証明することが可能で、証拠能力が高くなる。

　こうしたデジタル署名はAcrobat Readerでも付けることができるので、以降でやり方を説明していこう。

契約にも使えるデジタル署名

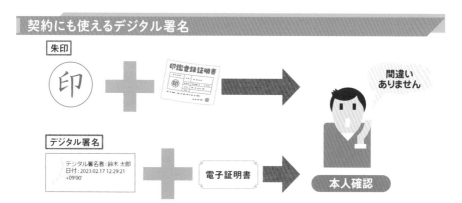

図3　「誰がその書類を作ったか」を証明するには、印影だけでなく印鑑証明が必要だ。同様にデジタル署名と電子証明書の仕組みにより、PDFでも本人確認ができる

Acrobat Readerで
すぐに使えるデジタル署名

　デジタル署名は、「当事者型」と「事業者（立会人）型」の2種類に分類される（**図1**）。当事者が証明機関に申請し、当事者の電子証明書でデジタル署名するのが当事者型（**図2**）。身近な例としてはマイナンバーカードがある。電子証明書が記録されたマイナンバーカードを持ち、暗証番号を知っている人は本人と確認できる。当事者型のデジタル署名は、本人であることを証明する法的な効力が最も高い。

　これに対して、電子契約事業者などがデジタル署名を行うのが事業者型。当事者（個人または企業）が電子契約事業者と契約を結んで利用する。当事者が契約書類を事業者に送信すると、そのメールアドレスなどを確認した事業者が電子証明書を発行し、関係者に署名依頼を出して署名を集める（**図3**）。デジタル署名時のタイムスタンプや文書データは事業者が一定期間保管する。当事者は文書データを送信するだけ

2種類のデジタル署名

	電子印鑑	デジタル署名	
		事業者（立会人）型	当事者型
概要	印影を画像データ化したもの。パソコンで入力した文字や画像を使うこともできる	証明機関や電子契約事業者などが、当事者からの依頼によって内容や発行者を保証する署名	本人が事前に認証局から電子証明書を取得して署名。マイナンバーカードでの確定申告などでも利用されている
使用目的	社内文書など	企業間の契約書や誓約書など	公共機関や金融機関との取引、申請。高い法的効力が求められる契約
セキュリティ	偽造や改ざんが容易	第三者の証明書によって、改ざん防止や当事者の同意が確認できる	当事者が本人であることを証明でき、改ざん防止もできる
法的な効力	低い	高い。ただし、当事者内の誰が認証を依頼したかを明確にする必要がある	高い

図1 デジタル署名には2種類あり、当事者型と事業者型のどちらを選ぶかは、特徴や目的を考えて選択する。企業では事業者型を導入するケースが増えている

で依頼でき、署名者もWebブラウザーで承認するだけのクラウド型が主流だ。ただし、事業者が本人確認に使用するのがメールアドレスであり、認証局を介さないサービスが多い。従って、法的な効力を期待する場合は、使用するサービスをしっかり選ぶのも重要だ。

Acrobat Readerはさまざまなデジタル署名に対応している。認証局を通さないデジタル署名「Self-Sign ID」は簡易版ではあるが、本人証明として利用できる。また、アドビが運営する事業者型デジタル署名「Adobe Acrobat Sign」(以下、「Acrobat Sign」)も月2回までは無料で利用可能だ。

手続きが面倒な当事者型デジタル署名

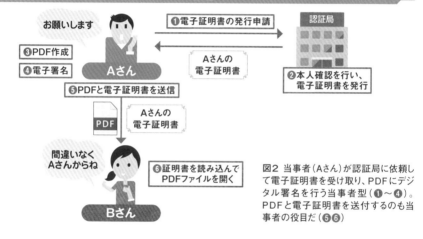

図2 当事者(Aさん)が認証局に依頼して電子証明書を受け取り、PDFにデジタル署名を行う当事者型(❶〜❹)。PDFと電子証明書を送付するのも当事者の役目だ(❺❻)

事業者が仲介する事業者型デジタル署名

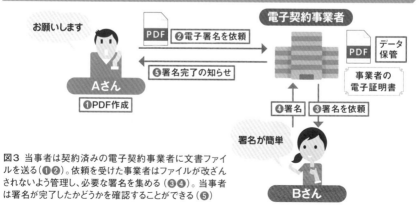

図3 当事者は契約済みの電子契約事業者に文書ファイルを送る(❶❷)。依頼を受けた事業者はファイルが改ざんされないよう管理し、必要な署名を集める(❸❹)。当事者は署名が完了したかどうかを確認することができる(❺)

Section 03 Self-Sign IDで簡易的な デジタル署名を付ける

　登記や契約の書類を送信するときには、記入した本人だという証明があると安心だ。本人が作成したと証明できるPDFにするためには、当事者型デジタル署名を付ける。ただし、デジタル署名を付けるには、事前に認証局から電子証明書（デジタルID）を取得するなど、手間も料金もかかる。そこで、Acrobat Readerから無料で使える「Self-Sign ID」を利用して、簡易的な証明書を付ける方法を紹介する。

Self-Sign IDでデジタル署名付きPDFを送る流れ

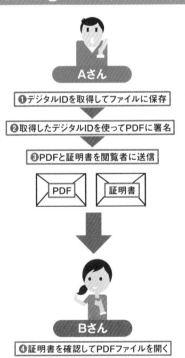

図1　当事者（Aさん）は自分の証明となるデジタルIDを取得する（❶）。PDFにデジタル署名を行い、そのPDFと電子証明書を送信する（❷❸）。受信者は証明書をAcrobat Readerで読み込み、PDFを開くことで、送信者の本人確認ができる（❹）

作業の流れとしては、まず電子証明書を取得してPDFに署名する（**図1**）。その後、PDFと証明書をメールなどで送信する。受信した人は、証明書をAcrobat Readerで読み込んでからPDFを開くことで、本人確認をしてPDFを見ることができる。

　電子証明書の取得にはユーザー情報が必要なので、事前に「編集」メニューから「環境設定」を選択し、「ユーザー情報」を確認しておくとスムーズに進められる。

　デジタル署名付きのPDFを送る手順を見ていこう。PDFを開いたら、「ツール」タブで「証明書」を選択（**図2**）。PDF上でデジタル署名を付ける位置を指定する（**図3**）。

PDFを開いてデジタル署名を設定

図2 Acrobat Readerで署名するPDFを開く（❶）。「ツール」タブで「証明書」を選択する（❷❸）

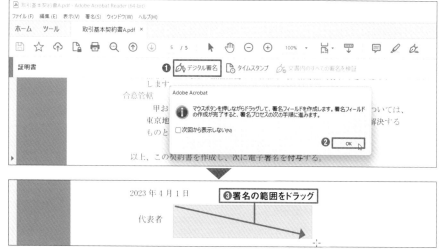

図3「証明書」ツールバーで「デジタル署名」をクリックして「OK」を押す（❶❷）。デジタル署名を追加する位置をドラッグで指定する（❸）

　続いて新しいデジタルID（電子証明書のこと）を取得してファイルに保存する（**図4〜図6**）。図6右で指定するパスワードは、このデジタルIDを使う際に必要になるので、忘れないよう書き留めておく。取得済みのデジタルIDがある場合は、図4〜図6をスキップして次に進む。

　取得したデジタルIDを使ってPDFにデジタル署名を付けたら、別のPDFファイルとして保存する（**図7〜図10**）。これでデジタル署名付きPDFファイルが作成できる。

　ただし、このPDFファイルを送信するだけでは、受信者が証明書を確認できない。電

新しいデジタルIDを取得してファイルに保存

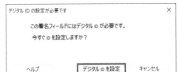

図4 初めてデジタル署名を行う場合はこの画面が開くので、「デジタルID を設定」をクリックする。2回目以降は、この画面が表示されずに図7が開く

図5　次の画面で「新しいデジタルIDの作成」を選んで「続行」をクリックする（❶❷）。「ファイルに保存」を選択して「続行」をクリックする（❸❹）

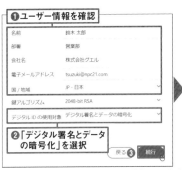

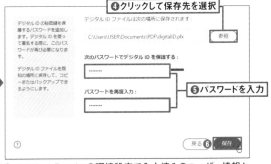

図6 デジタルIDの申請に必要な情報を入力する。Acrobat Readerの環境設定で入力済みのユーザー情報から引用されるので、確認して必要に応じて修正する（❶）。「デジタルID の使用対象」は、「デジタル署名とデータの暗号化」を選択する（❷）。「続行」をクリックし（❸）、次の画面で「参照」をクリックしてデジタルIDの保存先を指定する（❹）。このIDを使用するためのパスワードを入力して「保存」をクリックする（❺❻）

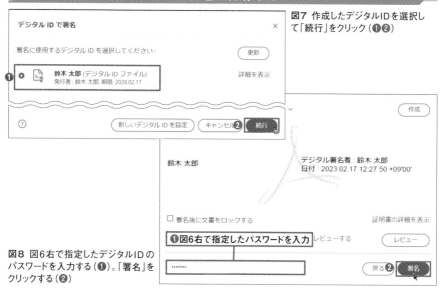

図7 作成したデジタルIDを選択して「続行」をクリック（❶❷）

図8 図6右で指定したデジタルIDのパスワードを入力する（❶）。「署名」をクリックする（❷）

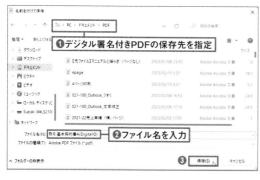

図9 デジタル署名後のPDFファイルを保存する場所とファイル名を指定する（❶❷）。「保存」をクリックする（❸）

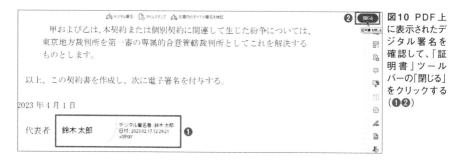

図10 PDF上に表示されたデジタル署名を確認して、「証明書」ツールバーの「閉じる」をクリックする（❶❷）

子証明書も受信者に送る必要がある。

　電子証明書を送信するには、それをファイルに保存する。デジタル署名を付けたPDFを開き、デジタル署名をクリックして「署名のプロパティ」を開く（**図11**）。「署名者の証明書を表示」を選択して、電子証明書の内容を書き出す（**図12、図13**）。

　ここでは、書き出した電子証明書の内容をファイルに保存する（**図14〜図16**）。保存した電子証明書ファイルは、デジタル署名を付けたPDFと一緒に送付する。

PDFに付けたデジタル署名の証明書を書き出す

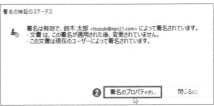

図11 署名したPDFをAcrobat Readerで開いて、デジタル署名をクリックする（❶）。開く画面で「署名のプロパティ」をクリックする（❷）

図12「署名のプロパティ」が表示されたら「署名者の証明書を表示」をクリックする

図13 証明書の内容が表示されるので、確認して「書き出し」をクリックする

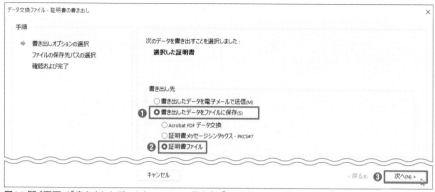

図14 開く画面で「書き出したデータをファイルに保存」と「証明書ファイル」を選択し、「次へ」をクリック(❶〜❸)

図15 電子証明書ファイルの保存先を指定する(❶)。ファイル名は自動で表示されるので確認し、必要に応じて修正する(❷)。「保存」をクリックし(❸)、次の画面で「次へ」をクリックする(❹)

図16「完了」をクリックして設定を終える。書き出した電子証明書(右)は、デジタル署名を付けたPDFと一緒に相手に渡そう。なお、Outlookではこの証明書ファイルをメールに直接添付して送受信できない。問題を起こす可能性があるとして無効にされるのだ。そのため、PDFとまとめてZIP形式で圧縮して送るとよい

8章

「デジタル署名」で信頼性を証明

Section 04 届いたPDFで デジタル署名を確認する

　デジタル署名付きPDFは、電子証明書を使ってデジタル署名が本人のものかどうかを確認できる。Acrobat Readerで電子証明書を取り込んでからPDFを開くのがポイントだ（**図1**、**図2**）。Acrobat Readerの環境設定から電子証明書を取り込む（**図3〜図5**）。その後、デジタル署名付きPDFを開いて、デジタル署名をクリックすると、証明書の詳細を確認できる。

電子証明書を取り込んでからPDFを開く

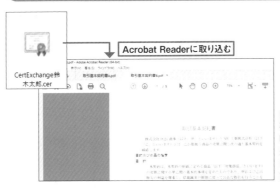

Acrobat Readerに取り込む

CertExchange鈴木太郎.cer

「署名に問題」って何？

図1 電子証明書のファイル（拡張子「.cer」）が届いたら、その証明書をAcrobat Readerで取り込む。その後で電子署名付きのPDFファイルを開くと、署名の確認ができる

図2 正しい電子証明書を読み込んでデジタル署名付きのPDFを開くと、署名が有効であることが確認できる（上）。電子証明書を読み込まないか、証明内容と食い違っている場合には「問題があります」と表示される（下）

受信した電子証明書をAcrobat Readerに取り込む

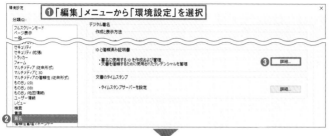

図3 Acrobat Readerで「編集」メニューから「環境設定」を選択する（❶）。「署名」を選択し、「IDと信頼済み証明書」の「詳細」をクリックする（❷❸）。開いた画面で「信頼済み証明書」を選択し、「取り込み」をクリックする（❹❺）

図4 開く画面で「参照」をクリックして、受け取った電子証明書のファイルを選択する（❶）。上の欄に表示された連絡先を選択し、下の欄で証明書を選択する（❷❸）。「信頼」をクリックして、表示される画面で「この証明書を信頼済みのルートとして使用」と「証明済み文書」にチェックを付けて「OK」を押す（❹〜❼）

図5 戻った画面で「取り込み」をクリックすると（❶）、証明書が取り込まれる。次の画面で「OK」を押せば作業は完了だ（❷）。この後で署名付きのPDFを開くと、図2上のように「… 署名が有効です」と表示される

8章 「デジタル署名」で信頼性を証明

Section 05 事業者型のデジタル署名を契約相手に依頼する

　Acrobat Readerは、電子契約事業者が間を取り持つ事業者型デジタル署名にも対応している。前項までで説明したSelf-Sign IDを使った当事者型デジタル署名は、当事者が本人確認を送る簡易的なシステムであり、認証局を通す正式なものではない。とはいえ、正式な認証を得るのはハードルが高い。手軽で信頼性の高い契約システムを望むなら、電子契約事業者が間を取り持つ事業者型デジタル署名が適している。

　アドビが運営する「Acrobat Sign」は、Acrobatから手軽に利用できる事業者型デジタル署名システムだ。当事者がPDFを送信すると、必要なデジタル署名を集めて契約手続きを代行してくれる（**図1**）。Acrobat Readerでは月2回まで無料で、有料版Acrobatであれば制限なしに使えるサービスだ［注］。

　PDFを作成したら、署名してもらう人のメールアドレスを指定する（**図2**）。署名欄のフィールドを作成してAcrobat Signに送信する（**図3**、**図4**）。

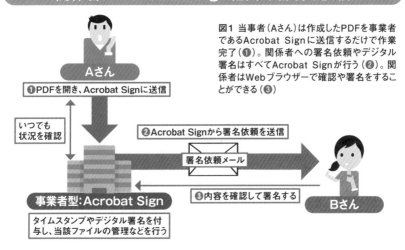

関係者にAcrobat Sign経由で署名を依頼

図1 当事者（Aさん）は作成したPDFを事業者であるAcrobat Signに送信するだけで作業完了（❶）。関係者への署名依頼やデジタル署名はすべてAcrobat Signが行う（❷）。関係者はWebブラウザーで確認や署名をすることができる（❸）

Aさん
❶PDFを開き、Acrobat Signに送信
いつでも状況を確認
❷Acrobat Signから署名依頼を送信
署名依頼メール
事業者型：Acrobat Sign
タイムスタンプやデジタル署名を付与し、当該ファイルの管理などを行う
❸内容を確認して署名する
Bさん

［注］同社はこの機能の新版をテスト中で、一部のユーザーは利用できない場合があるとしている（2023年2月時点）

デジタル署名を依頼するためのPDFをAcrobat Signに送信

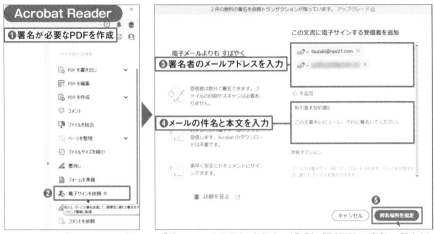

図2 PDFを作成したらツールパネルから「電子サインを依頼」を選択する（❶❷）。開く画面でデジタル署名をしてもらう人のメールアドレスを入力（❸）。件名と本文を入力して「署名場所を指定」をクリックする（❹❺）

図3 デジタル署名用のフィールド設定パネルが表示される。図2右で署名する受信者を複数指定した場合は、先に署名者を選択し（❶）、続けて文書内をクリックして署名フィールドを挿入（❷）。必要な設定をする（❸）。同様にほかの署名者のフィールドや署名日など必要なフィールドを作成して「送信」をクリックする（❹❺）

図4 送信完了の画面。「閉じる」をクリックして当事者の操作は完了

　署名の依頼がメールで届いた場合は、「確認して署名」をクリックする（**図5**）。Webブラウザーで Acrobat Sign の Web サイトが開き、署名するPDF がブラウザー上で表示される。内容をよく確認してから署名する（**図6**、**図7**）。

　署名依頼をした当事者は、随時進行状況の確認が可能だ。Acrobat Reader を開き、「ホーム」タブで「すべての契約書」を選ぶと、Acrobat Sign に依頼した契約書が一覧表示される。契約書を開くと、署名が済んでいる場合は署名が表示され、「アクティビティ」で進行状況のタイムラインを見ることができる（**図8**、**図9**）。

デジタル署名を依頼するメールが届いたら署名する

図5 Acrobat Sign から署名依頼のメールが届く。送信者の氏名やメールアドレスなどを確認後、「確認して署名」をクリックする

図6 内容をよく確認する。画面右上に表示される「次の必須フィールド」をクリックすると（①）、対応が必要なフィールドが表示される。署名欄をクリックする（②）

図7 署名用の画面が開く。署名を入力して「適用」をクリックする（①〜③）。画面右下の「クリックして署名」をクリックする（④）

デジタル署名の進行状況を確認

図8 依頼した当事者はいつでもデジタル署名の進行状況を確認できる。Acrobat Readerを起動して「ホーム」タブの「すべての契約書」を選択する(❶❷)。確認したいPDFを開く(❸)

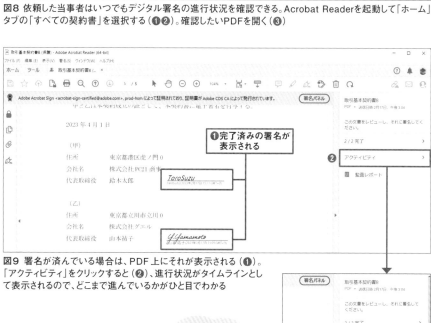

図9 署名が済んでいる場合は、PDF上にそれが表示される(❶)。「アクティビティ」をクリックすると(❷)、進行状況がタイムラインとして表示されるので、どこまで進んでいるかがひと目でわかる

すぐ署名してくれたんだな

日経PC21

1996年3月創刊の月刊誌。仕事にパソコンを活用するための実用情報を、わかりやすい言葉と豊富な図解・イラストで紹介。Excel、Wordなどのアプリケーションソフトやクラウドサービスの使い方から、プリンター、デジタルカメラなどの周辺機器、スマートフォンの活用法まで、最新の情報を丁寧に解説している。

鈴木眞里子（グエル）

情報デザイナーとして執筆からレイアウトまでを行う。日経PC21、日経パソコンなど、パソコン雑誌への寄稿をはじめ、製品添付のマニュアルや教材なども手がけ、執筆・翻訳した書籍は100冊を超える。近著に『Excel最速時短術』『ビジネスOutlook実用ワザ大全』『パソコン仕事 最速操作 完全ガイド』（ともに日経BP）がある。編集プロダクション、株式会社グエル取締役。

PDF最強実務ワザ大全

2023年3月27日　第1版第1刷発行

著　　　　者	鈴木眞里子（グエル）
編　　　　集	田村規雄（日経PC21）
発　行　者	中野 淳
発　　　行	株式会社日経BP
発　　　売	株式会社日経BPマーケティング 〒105-8308　東京都港区虎ノ門4-3-12
装　　　　丁	小口翔平＋後藤 司（tobufune）
本文デザイン	桑原 徹＋櫻井克也（Kuwa Design）
制　　　　作	鈴木眞里子（グエル）
印刷・製本	図書印刷株式会社

ISBN 978-4-296-20179-2